Für Ruth & Hans
mit schönen Grüßen
in herzlicher
Freundschaft!

Euer Martin

weitergegeben an den guten Freund Willie
in lieber Erinnerung Sept. 1987
von Renate

Christa Wolf
STÖRFALL

Christa Wolf

STÖRFALL

Nachrichten eines Tages

Aufbau-Verlag

1. Auflage 1987
© Aufbau-Verlag Berlin und Weimar 1987
Einbandgestaltung Martin Hoffmann
Typographie Kristina Niklaus
Karl-Marx-Werk, Graphischer Großbetrieb,
Pößneck V 15/30
Printed in the German Democratic Republic
Lizenznummer 301. 120/257/87
Bestellnummer 613 628 8
00660

ISBN 3-351-00878-3

Für H.

Keine der Figuren dieses Textes ist mit einer lebenden Person identisch. Sie sind alle von mir erfunden.

C. W.

Die Verbindung zwischen Töten und Erfinden hat uns nie verlassen. Beide entstammen dem Ackerbau und der Zivilisation.

Carl Sagan

Das langgesuchte Zwischenglied zwischen dem Tier und dem wahrhaft humanen Menschen sind wir.

Konrad Lorenz

Eines Tages, über den ich in der Gegenwartsform nicht schreiben kann, werden die Kirschbäume aufgeblüht gewesen sein. Ich werde vermieden haben, zu denken: „explodiert"; die Kirschbäume sind explodiert, wie ich es noch ein Jahr zuvor, obwohl nicht mehr ganz unwissend, ohne weiteres nicht nur denken, auch sagen konnte. Das Grün explodiert: Nie wäre ein solcher Satz dem Naturvorgang angemessener gewesen als dieses Jahr, bei dieser Frühlingshitze nach dem endlos langen Winter. Von den viel später sich herumsprechenden Warnungen, die Früchte zu essen, deren Blüte in jene Tage fiel, habe ich an dem Morgen, an dem ich mich wie jeden Morgen über das Treiben der Nachbarshühner in unserer frischen Grassaat ärgern mußte, noch nichts gewußt. Weiße Leghorn. Das beste, was man von ihnen sagen kann, ist, daß sie auf mein Klatschen und Zischen hin angstvoll, wenn auch verwirrt reagieren, immerhin ist eine Mehrheit von ihnen aufgescheucht in Richtung auf das Nachbargrundstück gelaufen. Eure Eier, habe ich gedacht, schadenfroh, werdet ihr womöglich für euch behalten können. Und jener Instanz, die von früh an begonnen hat, mich aus einer sehr fernen Zukunft aufmerksam zu betrachten – ein Blick, nichts weiter –, habe ich zu verstehen gegeben, daß ich mich von nun an an nichts mehr gebunden fühlen würde. Frei, zu tun und vor allem zu lassen, was mir beliebt. Jenes Ziel in einer sehr fernen Zukunft, auf das sich bis jetzt alle Linien zubewegt hatten, war weggesprengt worden, gemeinsam mit dem spaltbaren Material in einem Reaktorgehäuse ist es dabei gewesen zu verglühen. Ein seltener Fall –

Sieben Uhr. Da, Bruder, wo du jetzt bist, fängt man pünktlich an. Deine Beruhigungsspritze wirst du schon vor einer halben Stunde bekommen haben. Jetzt haben sie dich von der Station in den Operationssaal geschoben. Ein Befund wie der deine kommt als erster unters Messer. Jetzt spürst du, denke ich mir, ein nicht unangenehmes Drehen in deinem geschorenen Kopf. Es ist ja darauf angelegt, daß du keinen scharfen Gedanken fassen, kein allzu deutliches Gefühl empfinden sollst, zum Beispiel Angst. Alles geht gut. Dies ist die Botschaft, die ich dir, ehe sie dich in den Narkoseschlaf versetzen, als einen gebündelten Energiestrahl übermittle. Nimmst du ihn wahr? Alles geht gut. Jetzt lasse ich deinen Kopf vor meinem inneren Auge erscheinen, suche den verletzlichsten Punkt, den mein Gedanke durchdringen kann, um dein Gehirn zu erreichen, das sie gleich freilegen werden. Alles geht gut.

Da du nicht fragen kannst: Die Art Strahlen, lieber Bruder, von denen ich rede, sind gewiß nicht gefährlich. In einer mir unbekannten Weise durchqueren sie die verseuchten Luftschichten, ohne sich anzustecken. Das Fachwort ist: kontaminieren. (Während du schläfst, Bruder, lerne ich neue Wörter.) Steril, garantiert steril erreichen sie den Operationssaal, deinen hilflos, bewußtlos hinge-

10

streckten Körper, tasten ihn ab, erkennen ihn in Sekundenbruchteilen. Würden ihn auch erkennen, wenn du noch stärker entstellt wärst, als du es zu sein behauptest. Mühelos durchdringen sie die dichte Abwehr deiner Bewußtlosigkeit, auf der Suche nach dem glühenden, pulsierenden Kern. Auf eine Weise, die sich der Sprache entzieht, stehen sie jetzt deiner schwächer werdenden Kraft bei. Darauf sollst du dich verlassen, so ist es verabredet. Es gilt –

Nicht unvorbereitet, doch ahnungslos werden wir gewesen sein, ehe wir die Nachricht empfingen. War uns nicht, als würden wir sie wiedererkennen? Ja, habe ich eine Person in mir denken hören, warum immer nur die japanischen Fischer. Warum nicht auch einmal wir.

Die Vögel und der Test.

Leichtfertig und unbesorgt habe ich das Wasser beim Duschen an mir herunterrinnen lassen. Jeder einzige der zahllosen Experten, die jetzt wie Pilze aus der Erde schießen (Pilze! ungenießbar für diese Saison!), hat das Grundwasser für noch lange, lange nicht – vielleicht diesmal überhaupt noch nicht! – gefährdet erklärt. In einem Bächlein helle. Es ist eine Unart, beim Duschen zu singen. Auch erschwert es, aus dem kleinen Radiogerät Marke Sanyo die Nachrichten zu empfangen, in welche DIE NACHRICHT jede Stunde umgemünzt und zerkleinert wird. Die launische Forelle. Speicherfisch für radioaktive Zerfallsprodukte. Je nachdem, welcher der Parteien, in die auf vorhersagbare Weise die Öffentlichkeit zerfällt, der Experte angehört hat und ob er Optimist oder Pessimist gewesen ist, hat er gesagt: Nein. Keinesfalls wird der Reaktorkern durchschmelzen. Oder:

11

Aber doch. Doch, doch: Auch das ist gar nicht ausgeschlossen. Dann wäre jene Erscheinung zu erwarten gewesen, die der Humor der Wissenschaftler so anschaulich „Chinasyndrom" getauft hat. Solange der Brand nicht gelöscht gewesen ist – und Graphitbrände, Bruder, das wirst du nicht wissen, sind, so schwer sie entstehen mögen, unglaublich schwer zu löschen, haben wir erfahren müssen –, solange die Kettenreaktion weitergeht, kann der Reaktorkern, sich durch den Erdmittelpunkt durchschmelzend, aktiv bleiben, bis er, verwandelt sicherlich, aber immer noch strahlend, bei den Antipoden wieder herauskäme. Entsinnst du dich, Bruder, an das tiefe Loch, das wir auf dem Sandberg vor unserem Haus gruben und in das wir, gehörig mit Warnschildern versehen, eine Bierflasche voller Salzsäure versenkten, der wir zutrauten, daß sie sich zu den Antipoden durchfressen würde? Erinnerst du dich an den Brief, den wir, in Zellophan wasserdicht eingewikkelt, am Hals der Flasche festgebunden hatten? An seinen Inhalt? Brüder und Schwestern – so redeten wir die Antipoden an und baten sie dringlich, uns an unsere Adresse, die wir natürlich angaben, den Empfang unserer Flaschenpost zu bestätigen.

Direkt dankbar ist man ja gewesen, wenn man sich etwas bildlich hat vorstellen können. Dem Einfall, ob wir uns nicht beizeiten bei den Antipoden entschuldigen sollten, habe ich nicht nachhängen können, weil ich zuhören mußte, was ein Radiosprecher einen anscheinend jüngeren Experten gefragt hat, der freundlicherweise zu ihm ins Studio gekommen war: Was denn er heute mit seinen Kindern machen würde, gesetzt den Fall, er hätte

welche. Er hat welche. Er, hat er gesagt, hat seiner
Frau nahegelegt, den Kindern heute keine Frischmilch, keinen Blattspinat und keinen grünen
Salat zu geben. Auch nicht in den Park oder in den
Sandkasten mit ihnen spielen zu gehn, vorsichts-
halber. Da habe ich, während ich die Zahnpasta
auf die Zahnbürste gedrückt hab, jemanden sagen
hören: So. Soweit hat es kommen müssen.

Die da geredet hat, das bin ich gewesen. Der
Test, wie lange ich allein sein kann, ohne anzufangen, mit mir selbst zu reden, hat schon am dritten
Tag erste Brocken von lautem Selbstgespräch her-
ausgetrieben, von der Art: So. Jetzt mach ich die
Wäsche noch fertig, dann ist aber Schluß! Das ist
heute der fünfte Tag gewesen, unter verschärften
Bedingungen, da hab ich begonnen, nicht vorhan-
dene Leute laut anzureden: Das könnte euch so
passen! zum Beispiel –

Welche Art von Sägen man
benutzt, die Hirnschale aufzusägen, das weiß ich
nicht. Es heißt, man folge den Nähten, die ja den
Schädel in mehrere Segmente teilen. Wenn wir
wollen, hat dir dein Arzt gesagt, um dich durch die
Vollkommenheit seiner Technik zu beruhigen,
dann können wir Ihnen die Schädeldecke einfach
hochnehmen wie eine Pudelmütze und sie später
wieder aufsetzen. Wolln wir ja aber bei Ihnen gar
nicht. Das, was sie wollen – ein einziges Segment
hochklappen, und zwar dasjenige rechts über der
Stirn –, das werden sie jetzt wohl gemacht haben.
Da liegt deine Hirnmasse offen vor ihnen da. Für
mich wird es Zeit, mich auf die Hände des Chirurgen zu konzentrieren. Auf seine Fingerspitzen.
Impulse, für die es keine Worte gibt. Du, in deiner
immer tiefer werdenden Bewußtlosigkeit, sollst be-

ruhigt sein. Leidest du? Wohin gerät das Leiden, dessen wir nicht gewahr werden können –

Das Leben als eine Folge von Tagen. Frühstücken. Den Kaffee mit dem orangefarbenen Meßlöffel in den Filter messen, die Kaffeemaschine anstellen, den Duft genießen, der sich in der Küche entfaltet. Gerüche stärker, bewußter wahrzunehmen als bisher, ist mir noch nicht eingefallen, noch habe ich nicht gewußt, daß sie dir verlorengehen werden. Ausfälle, hat dir dein Arzt gesagt, sind nicht in jedem Fall zu vermeiden, aber wir halten sie so geringfügig wie möglich. Das Ei genau fünf Minuten kochen lassen, das Kunststück täglich erneut fertigbringen trotz des Defekts in der Minutenuhr. Die haltbaren Genüsse. Das Gerüst, welches das Leben auch über tote Zeiten trägt. Die Schnittfläche des dunklen mecklenburgischen Brotes. Angeschnittene Roggenkörner. Wann eigentlich und auf welche Weise lagern sich Nuklide – auch ein Wort, das ich gerade zu lernen begonnen habe – in Getreidekörner ein. Das riesige Getreidefeld hinter unserem Haus, das ich, da die Holunderbüsche noch licht gewesen sind, von meinem Platz am Küchentisch habe sehen können, in seinem satten Grün. Ich habe das Wort gesucht für seinen Zustand. „Matte". Eine grüne Matte. Auf dem Lande ist man immer in Gefahr, auf veraltete Vokabeln zurückzugreifen.

Der Himmel ist an jenem Tag wolkenlos gewesen. (Warum habe ich eben „tote Zeit" gedacht?) In deinem kühlen Schatten / Auf deinen weichen Matten / du liebster Aufenthalt / du liebster Aufenthalt. Lieder, die mir jahre-, jahrzehntelang nicht in den Sinn gekommen sind. Jener Instanz,

14

die ihr kritisches Auge auf alles geworfen hat, was ich zu mir genommen habe, habe ich mitgeteilt, die Eier in meinem Kühlschrank seien vor dem Unfall im Hühnerleib gewachsen, mit unbestrahltem Gras, unbestrahlten Körnern ernährt worden, direkt im Konsum abgeliefert und daher ungestempelt und garantiert frisch. Aber eben auch nicht zu frisch. Nicht etwa von gestern.

O Himmel, strahlender Azur.

Nach welchen Gesetzen, wie schnell breitet sich Radioaktivität aus, günstigenfalls und ungünstigenfalls. Günstig für wen? Und nützte es denn den unmittelbar am Ort des Ausbruchs Wohnenden wenigstens, wenn sie sich, durch Winde begünstigt, verbreitete? Wenn sie aufstiege in die höheren Schichten der Atmosphäre und sich als unsichtbare Wolke auf die Reise machte? Zu meiner Großmutter Zeiten hat man sich unter dem Wort „Wolke" nichts anderes vorstellen können als kondensierten Wasserdampf. Weiß, womöglich, ein mehr oder weniger schön geformtes, die Phantasie anregendes Gebilde am Himmel. Eilende Wolken, Segler der Lüfte / Wer mit euch wanderte, wer mit euch schiffte ... Der käm woandershin. Kommentar unserer Großmutter, die niemals reiste, wenn man sie nicht aussiedelte. Warum, Bruder, sind wir so bewegungssüchtig?

Das Pflaumenmus, das wir voriges Jahr, stöhnend unter der Last der Pflaumenernte, selbst hergestellt haben, fände ihren Beifall. Sie pflegte es mit Zimt zu überpudern, das haben wir ihr nicht nachgetan. Sie wiederum würde nicht den trockenen Brotkanten in Plaacks Futtereimer stecken, wie ich es nach kurzem Zögern getan habe. Sie würde aus dem harten Brot zum Wochenende eine

Brotsuppe kochen, mit Rosinen, auf polnische Art, das einzige Gericht, das mir bei ihr nicht schmeckte. Sündhaft, sagte sie – ein Wort, das sie sonst nicht brauchte –, sündhaft wäre es, Brot wegzuwerfen, das solle ich mir merken. Ihr einziger Merksatz. Bescheiden ist sie gewesen, unsere Großmutter, Bruder –

Wir leben. Nicht gerade üppig im Augenblick, das würde ich dir zugestehen, soweit es dich betrifft. Vielleicht nicht gerade an einem seidenen, aber an irgendeiner Art von Faden hängt dein Leben doch. Am Perlonfaden, nehme ich an. Zu denken, daß ein metallenes Instrument gerade jetzt an deiner Hirnhaut entlangfährt, vermutlich die Hirnmasse beiseiteschiebt, um Platz zu schaffen für ein anderes Instrument, an dessen Ende sich ein Mikroskop befindet ... Gestern, als wir noch einmal miteinander telefonierten, habe ich dir nicht erzählt, was ich kürzlich im Fernsehen sah: einen Computer, speziell für Operationen am menschlichen Gehirn entwickelt, auf eine Genauigkeit von hundertstel Millimeterschnitten programmiert, unfehlbarer als die menschliche Hand, so hieß es. Wir aber haben uns gegenseitig versichert, auf die Erfahrung und das Fingerspitzengefühl deines Chirurgen könne man sich hundertprozentig verlassen –

Ich bin stehengeblieben, die Tasse in der Hand, die ich in den Abwasch stellen wollte, und habe mehrmals hintereinander so stark ich konnte gedacht: Du kannst dich auf die Erfahrung und das Fingerspitzengefühl deines Chirurgen verlassen. Auf dem Weg zur Post habe ich beim alten Weiß Halt gemacht und habe wieder denken müssen, daß er eher wie ein abgemusterter Kapitän aussieht und nicht wie ein ehemaliger Stallarbeiter. Ehemaliger? hat er gesagt. Von wegen! Auch dieses Jahr wieder werde er seine Anzahl Kälber in Pflege nehmen, ganz davon abgesehen, daß er die Mildenitz beangeln und die Koppeln am Dorfsee nach Champignons absuchen werde. Dreiundachtzig sei doch kein Alter. Ob er es allerdings schaffe, neunzig zu werden wie sein Vater ... Na was denn! hat seine Frau gesagt, die mit den Wassereimern aus der Tür trat. Ob er etwa auf einmal sterben wolle! – Der Winter? Ach, hat sie gesagt, schlimm, schlimm sei der gewesen. Diese Heizerei mehrmals am Tag, und daß die Kälte überhaupt kein Ende habe nehmen wollen. Und daß man nicht weggekommen sei, nichtmal zum Sohn in die Stadt, es sei ja partout kein Bus gegangen, und „unser Vater", so hat sie den alten Weiß, ihren Mann, genannt, lasse sie über Nacht nicht weg, sie lebe hier wie in Gefangenschaft. Da hat der alte Weiß behaglich gesagt, das wäre ja auch noch schöner! Die Frau gehöre ins Haus. Da hören Sie es selbst, hat da seine Frau gesagt, so gehe es nun seit vierzig Jahren.

Die Bilder sollten wir doch kennen, Bruder. Ich jedenfalls kenne nur zu genau die Bilderserie vom Flüchtlingsmädchen, das mit seiner Mutter auf einem gottverlassenen Gutsdorf in einer Kate unterkriecht, wo nur die Landarbeiterfrau ist, die dann fast gleichzeitig mit der Mutter des Mädchens am Typhus stirbt, der, wir wissen es ja, gleich nach dem Krieg den mecklenburgischen Landstrich heimgesucht hat, so daß der Katenbesitzer, der Stallarbeiter Weiß, nur dieses fremde Mädchen vorfindet, als er aus der Gefangenschaft kommt: blutjung, mutterseelenallein, verschüchtert, heimatlos, ohne ein anderes Unterkommen als seine Kate. Da geht es denn, wie es gehen muß, das Leben, sagt Frau Weiß in dem gleichen Ton, in dem sie sagen würde: das Unglück, und da ich dazu neige, großes Unglück aus den vielen kleinen Unglücken herzuleiten, neige ich auch dazu, kleine Unglücke bessern zu wollen, und denke, man müßte sich um eine regelrechte tägliche Buslinie kümmern. Ach, hat Herr Gutjahr gesagt, der sich selbst gern „Postminister" nennt, was man nicht alles müßte! Er ist stolz auf seine Umsicht, immer eine kleine Geldreserve bereit zu haben, falls jemand, wie ich heute, eine gewisse Summe abheben möchte. Geht alles, sagt er. Geht immer, man muß nur wollen, hab ich recht oder hab ich recht! Und ob ich denn nachts keine Angst hätte, so alleine in dem Haus. Vor wem denn, habe ich gefragt, und da hat er gesagt: Da haben nun Sie wieder recht. Wie es ihn, einen Invaliden, aus dem Sächsischen hierher verschlagen hat; wie er Lohn und Brot fand für sich und seine große Familie, das habe ich mir alles gerne noch einmal angehört. Gerne habe ich ein paar Rote-Kreuz-Lose aus dem langen schmalen Kasten gezogen, den Millionengewinn habe er aber gut versteckt, hat Herr Gutjahr gesagt, und wir haben gelacht, dann habe ich das zweite Los aufgerissen und ihm hingehalten: Fünf Mark. Dunnerlittchen! hat Herr Gutjahr gesagt. Er hat nicht wissen können, wie sehr ich diesen Gewinn gebraucht habe, abergläubisch, wie ich an dem Tag gewesen bin. Und daß ich für die fünf Mark dann fünf Nieten gezogen habe, das hat mir überhaupt nichts mehr ausgemacht. Wie gewonnen, so zerronnen, hat Herr Gutjahr gesagt, und er hat schnell zwischendurch einen jungen

18

Kollegen aus dem Stall bedient, der ein Einschrei-
ben abgeholt und eine Alkoholfahne in dem winzigen kahlen Postraum hinterlassen hat. Alimenten-
forderung, hat Herr Gutjahr gesagt. Der saufe nun
noch mehr, seit er geschieden sei. Viel getaugt
habe dessen Frau ja auch nicht, aber welche Frau
lasse sich schon heute noch schlagen, wenn der
Mann duhn sei, das solle ich mal selber sagen.
Kaum eine, habe ich gesagt und die Frage nicht
unterdrücken können, was denn Herr Gutjahr zu
dem Reaktorunglück sage. Ach wissen Sie, hat er
gesagt. Geschehen ist geschehen. Und ob da nicht
immer auch viel übertrieben werde? Er jedenfalls
habe in seinem Leben schon in schlimmerem
Schlamassel dringesteckt. Und was solle einem alten kranken Mann wie ihm schließlich noch passieren. Für alles gebe es ein Sprichwort. Was ich
nicht weiß, macht mich nicht heiß. Daran halte er
sich, und auf das ganze Krakeelen im Radio höre
er gar nicht so genau hin –

    Die Operation könne
drei bis vier Stunden dauern. Knapp zwei Stunden
sind jetzt vorbei, und es beginnt anstrengend zu
werden, Bruder, das spüren wir. Wie übrigens ver-
geht inzwischen deine Zeit? Welche Strecke legst
du zurück, in welchem Gelände, während ich die
vier-, fünfhundert Schritte von der Poststelle zu
unserem Haus gegangen bin. Da ist etwas passiert,
was mich veranlaßt hat, stehenzubleiben. He,
Bruder. Was ist los? Läßt du dich gehen? Jetzt hör
mir mal gut zu. Wir schreiben das Jahr neunzehn-
hundertsechsundachtzig. Du bist dreiundfünfzig
Jahre alt. Das, was wir Leben nennen, ist da noch
lange nicht zu Ende. Da gibt es, verdammt nochmal, nicht nur diese stumpfsinnigen, abgelebten

Zellen in dir, die, tödlich sich langweilend, zu ewiger Wiederholung verurteilt, immer nur das eine können: Tumore bilden. Da gibt es doch noch die anderen, die Millionen, was sag ich! Milliarden von Zellen – willst du wohl den Kopf nicht abwenden, nicht mit dieser Gebärde, und schon gar nicht heute! –, Milliarden Zellen, sag ich, quicklebendig, ja, ganz besonders agil in der komplizierten Struktur deines Gehirns, höchst neugierig, die was erleben wollen, und die du nicht einfach im Stich lassen und dem Absterben überantworten kannst, bloß weil es dir mal fünf Minuten lang egal ist, was mit dir wird. Todmüde, Bruderherz? Sterbenselend? Du neigst doch sonst nicht zu Übertreibungen. Bloß weil du in der Narkose liegst, denkst du, du kannst dich hinterrücks davonmachen? Da merkt es keiner? Mag auch sein, daß dein Lebensnerv etwas brüchig ist. Dafür ist ja diese Zusatzleitung aufgebaut worden, doppelt genäht hält besser, wie unsere Mutter sagen würde. (Paß du mir auf deinen kleinen Bruder auf!) Aber festhalten mußt du schon. Nicht loslassen, Bruder! Festhalten. Ja, so. Ich zieh jetzt ein bißchen, kann dich schon sehen, immer näher, immer deutlicher. Jetzt ganz nah. So. Das hätten wir wohl. Mach das bitte nicht nochmal. Es ist gegen die Abmachung.

Wetten, daß die Apparate überhaupt nicht ausgeschlagen haben? Nicht einmal gezuckt? Sehr grobe Instrumente das, aber woran sollen die Chirurgen sich sonst halten. Den Sehnerv, behaupten sie, der ja leider in unmittelbarer Nähe des Operationsfeldes verlaufe, würden sie die ganze Zeit über gut unter Kontrolle haben. Kein Kommentar. Oder soll man sich den Sehnerv vielleicht von der Stärke jenes Zwirnsfadens vorstellen, mit dem bei uns zu Hause Knöpfe angenäht wurden? Nein, haben sie gesagt, hast du mir erzählt, für den Sehnerv bestünde keine akute Gefahr. Kein Wort weiter über den Sehnerv, nichtmal ein Gedanke. Woher soll ich wissen, mit welchem Sinn oder mit welchen Sinnen du vielleicht alles, was ich mir noch so verstohlen vorstelle, in dich aufnimmst. Sehen hören riechen schmecken tasten – das soll alles sein? Wer glaubt denn sowas. So unempfindlich wird man uns einst doch nicht auf den Weg geschickt haben. Wenn auch das Verlangen nach einem eingearbeiteten Geigerzähler eher anmaßend klingen mag, sogar humoristisch. Wer hätte vor diesen Millionen von Jahren voraussehen sollen, daß gerade er einmal unsere Überlebenschance als Gattung verbessern würde –

obwohl ich andererseits nicht dringend habe wissen wollen, wie die überaus saftige grüne Wiese vor dem Haus sich auf der Skala eines Geigerzählers heute ausgenommen hätte. Aber die paar Löwenzahnblätter, die kleinsten, zartesten, die ich aus Gewohnheit im Vorbeigehen abgepflückt habe, um sie, wie all die Tage schon, zum Mittag als Salat zu essen, habe ich dann doch lieber weggeworfen. Dazu haben auch nochmals das kleine wie das große Radio, die auf verschiedene Stationen eingestellt gewesen sind, einmütig zur vollen Stunde geraten: Nichts Grünes. Keine Frischmilch für Kinder. Ein neuer Name für Gefahr wird in Umlauf gesetzt: Jod 131. Die Schilddrüse, hat sich herausgestellt, ist also eines unserer sensibelsten Organe zur Speicherung radioaktiven Jods. Von den Leuten, die sogar unwahrscheinliche Entwicklungen voraussehen, ist seit gestern der Vorrat an

21

Jodtabletten in den Apotheken am Standort des einen Senders aufgekauft worden. Dies sei, bin ich belehrt worden, weder notwendig noch ratsam. Zwar blockiere dieses normale Jod die Schilddrüse für jenes andere, ungute, aber ...

Da habe ich doch schnell nach Berlin telefonieren müssen, aber sie hatten es schon gehört. Blattgemüse und Spinat kriege man sowieso nicht zu kaufen, und frische Milch gebe sie den Kindern nicht mehr, hat die jüngere Tochter gesagt. *(O Milch unfrommer Denkart, bittrer Trank ...)* Im Sandkasten ist sie allerdings gestern nachmittag mit ihnen gewesen, danach habe sie sie leider gebadet. Ja, hätte ich das denn nicht gehört? Duschen solle man die Kinder, nachdem sie draußen gewesen seien. Das Bad weiche die Haut auf, öffne die Poren und schwemme die Radioaktivität erst recht in den Körper. Übertrieben? Wenn man das nur wüßte.

Ich habe sie nach ihrer Stimme gefragt. Wie die klinge. Sie hat gesagt, wie eine Stimme eben klinge, wenn man nachts nicht schlafe. Nun werde ich ja sicher wieder wissen wollen, warum sie nachts nicht schlafe, und da sage sie mir lieber gleich und von sich aus, bei ihr sei die Botschaft eben erst jetzt angekommen, daß alles schon zu spät sei, und dann lägen da die beiden Kinder in ihren Betten, und dann halte sie diesen Anblick eben nicht aus, und dann schlafe sie eben nicht, und jetzt solle ich ihr mal einen besseren Grund nennen für Schlaflosigkeit.

Ja, habe ich gesagt. Nein. Andererseits –

Mutter! hat sie da gesagt, nun solle ich aber aufhören. Wo ich doch Bescheid wisse, oder? Die lernen doch nichts, hat meine jüngere Tochter gesagt. Die sind doch alle krank. Oder was noch passieren müsse, als daß die Milch weggekippt werde, tausendliterweis, und daß man fürchten müsse, mit den besonders gesunden Nahrungsmitteln die Kinder besonders schnell zu vergiften. Während auf der anderen Seite des Erdballs die Kinder zugrunde gingen, weil ihnen genau diese Nahrungsmittel fehlten.

Während wir eine Weile nichts gesagt haben, ist es mir wieder so vorgekommen, als würden unsere Gedanken sich wundreiben an einem äußerst trickreich versteckten Geheimnis. Ich habe auch Bilder ablaufen sehen, die ich nicht zu beschreiben gedenke. Dabei habe ich mich aber fragen müssen, ob ich nicht seit langem schon diejenigen Bilder, die mir auftauchten, greller und gegen mich selbst rücksichtsloser hätte beschreiben müssen, aber ich habe zugleich gewußt, daß dies nicht die Frage war, und obwohl ich gespürt habe, daß alles, was in mir vorging, unscharf blieb, ungenügend in jedem Sinn, habe ich wieder einmal bewundern können, wie schlafwandlerisch sicher alles ineinandergreift: der meisten Menschen Lust auf ein bequemes Leben, der meisten Neigung, den Rednern hinter den erhöhten Pulten und den Männern im weißen Kittel zu glauben, jedermanns Übereinstimmungssucht und Widerspruchsangst scheinen dem Machthunger und der Arroganz, der Gewinnsucht, der skrupellosen Neugier und der Selbstverliebtheit der wenigen zu entsprechen. Was war es denn, was an dieser Rechnung nicht stimmen konnte?

Ich habe die Tochter aufgefordert, noch irgend etwas zu erzählen, am liebsten von den Kindern. Da habe ich gehört, der Kleine hätte sich eine Flügelschraube auf den Daumen gelegt und sei mit hoch erhobener Hand durch die Küche stolziert: Kasper bin. Kasper bin. Die Vorstellung hat mich elektrisiert. Woher er denn wisse, was ein Kasper sei. Und ob es üblich sei, daß ein Kind von anderthalb Jahren sich verwandele. Nicht nur sich selbst, hat sie gesagt, ein jedes Ding. Ein Schneebesen, dem man einen Topflappen auf den Kopf lege, sei eine alte Frau, die tanze auf dem Küchentisch, und wenn Marie ihr mit einem anderen Topflappen eine runterhaue und die Alte zu jammern anfange, dann weine der Kleine, daß ihm die großen Tränen nur so die Backen runterkullerten und man das Spiel abbrechen müsse.

Die kleinen Jungs, habe ich gesagt. Was sie mit denen anstellen müssen, um sie hart zu kriegen.

Dafür, hat die jüngere Tochter gesagt, rächten sie sich später, da sei sie sicher. Wem man die Liebesfähigkeit austreibe, der müsse dann andere hindern, zu lieben.

Bei dem Kleinen, habe ich gesagt, müßten wir aber aufpassen.

Nur über meine Leiche, hat meine jüngere Tochter gesagt, und hat von Marie erzählt. Marie habe einen Freund, Julius. Den bringe sie fast jeden Tag aus dem Kindergarten mit, und dann setzten die beiden sich, abseits von den anderen, Hand in Hand auf ein Bänkchen und fragten sich gegenseitig: Bist du mein Freund? Ich bin dein Freund. Bist du auch mein Freund? Und dann würden sie vom selben Kuchenstück abbeißen und aus einer Tasse trinken, und der Kleine baue sich vor den beiden auf, die Hände auf dem Rücken, und sehe und höre ihnen gierig und andächtig zu.

Hör mal, habe ich gesagt, Shakespeare und die

24

griechische Tragödie würden mich jetzt kalt lassen im Vergleich mit deinen Kindergeschichten. Ob sie übrigens wisse, daß die Strahlenbelastung zur Zeit der überirdischen Kernwaffentests in den sechziger Jahren größer gewesen sein solle als jetzt.

Du verstehst zu trösten, hat meine jüngere Tochter gesagt –

Die Sonne hat jetzt voll auf dem Haus gelegen und auf der Wiese zur Straße hin. Man hat sehen können, dies würde einer der schönsten Tage des Jahres. Er fehlt dir, Bruder. Womit deine Sinne auch beschäftigt sein mögen – diesen Tag nehmen sie nicht wahr. Dieser makellos blaue Himmel entgeht dir, dieses Sinnbild von Reinheit, auf dem sich heute die bangen Blicke von Millionen treffen. Deine Ärzte, nach dem säuberlichen hakenförmigen Schnitt über der rechten Augenbraue, nachdem sie alle Blutgefäße sorgfältig abgeklemmt, die Kopfhaut nach beiden Seiten so weit wie möglich auseinandergezogen haben, die Hirnmasse beiseitegeschoben und in Folie verpackt, konzentrieren sich vermutlich darauf, dem Kern des Übels so nahe wie möglich zu kommen, ohne die Hypophyse zu verletzen. Wenn nämlich, hat die junge Schwester dich wissen lassen, bestimmte Teile des Gehirns beschädigt werden, können sogar Persönlichkeitsveränderungen vorkommen. Nette Aussichten, hast du gesagt, und ich habe dich grob gefragt, ob du denn an deiner Persönlichkeit so sehr hängen würdest. Gewohnheitssache, hast du gesagt. Ein Patient, der vorher friedfertig gewesen sei, werde plötzlich aggressiv und greife die Schwestern an. Also du siehst, hast du gesagt, so könnte man das Problem der Friedfertigkeit auch lösen: jedem Neugeborenen eine Elektrode einpflanzen. Ja, habe ich erwidert, schöne neue Welt. Das Vorderhirn ist übrigens nicht nur für dein zielgerichtetes Verhalten mit verantwortlich, es enthält auch die meisten Assoziationszentren. Beim Menschen das Bewußtsein. Ich habe mir sehr genaue und vorsichtige Instrumente vorstellen müssen – kommt da überhaupt Metall in Frage? –, die geeignet sein könnten, den Ort, an dem dein Bewußtsein sich befindet, zu betasten –

Für Gemüseanbau ist unser Boden allemal zu schwer. Lehmerde, hart, steinhart nach drei regenlosen Tagen, kaum zu bearbeiten. Ich habe es trotzdem versucht, den Boden mit Hacke und Harke zu zerkleinern, Beete anzulegen, in die ich mit dem Pflanzholz Rillen ziehen könnte, nicht zu tief und nicht zu flach, um in sie den braunen runden Sauerampfersamen für die Sauerampfersuppen, den winzigkleinen spitzen Schnittsalatsamen und die Spinatsaat auszustreuen, alles sehr sorgfältig und zornig, was ich daran gemerkt habe, daß ich meine Tätigkeiten mit halblautem Schimpfen begleitet habe, bis ich innehielt und mich, gleichfalls laut, gefragt habe: Warum das eigentlich?

Weil sie uns nun auch die Lust am Schnittsalat und am Spinat noch genommen haben.

Wer denn: Sie.

Auf das Reststück unterm Apfelbaum kommt Gartenkresse. Sie „verlangt nach zarter Behandlung, damit die Vitamine A, C, D und E und das Jod weitestgehend erhalten bleiben". Plötzlich habe ich mich fragen müssen, ob die Betreiber jener Arten von Technik, deren höllische Gefährlich-

26

keit in ihrem Wesen liegt, jemals in ihrem Leben winzigste Samenkörner, die einem an den Fingerspitzen kleben bleiben, in die Erde gesenkt haben, um sie später aufgehen zu sehen und über Wochen, Monate hin das Wachstum der Pflanzen zu verfolgen. Mein Denkfehler ist mir gleich bewußt geworden, jedermann hat schon gehört oder gelesen, daß gerade angestrengt arbeitende Wissenschaftler oder Techniker häufig Entspannung bei der Gartenarbeit suchen. Oder gilt diese These nur für die Älteren, und ist sie in bezug auf die Jüngeren, diejenigen, die jetzt das Sagen haben, überholt? Ich habe mir vorgenommen, eine Liste derjenigen Tätigkeiten und Freuden anzufertigen, die jene Männer der Wissenschaft und Technik wahrscheinlich nicht kennen. Was soll daraus folgen? Um die Wahrheit zu sagen: Ich weiß es nicht. Ich habe mir einfach überlegt, ob verschiedene Abschnitte unseres Gehirns vielleicht aufeinander einwirken, dergestalt, daß einer Frau, die monatelang ihren Säugling stillt, eine Hemmung einer bestimmten Hirnpartie verbieten würde, mit Wort und Tat diejenigen neuen Techniken zu unterstützen, die ihre Milch vergiften können.

Ich streiche um das Haus. Alle Fenster habe ich aufgerissen, nicht nur, damit die Wärme Eingang findet, auch, um in jedem Fall das Telefon zu hören. Die Johannisbeersträucher und die Kirschbäume, die wir dieses Jahr neu gesetzt haben, sind jedenfalls angekommen. Der Grassamen ist aufgegangen, unser Wunsch nach einer großen zusammenhängenden Rasenfläche würde in Erfüllung gehen. Die Malvenpflanzen an der Hauswand haben einen Schuß getan, und sogar zwei der Dahlien haben die Erdrinde durchstoßen, mit ihren zarten Blattspitzen. Brav, habe ich mich sagen hören. Bravbrav. An euch soll es nicht liegen. Ihr macht das Eure.

Der strahlende Himmel. Das kann man nun auch nicht mehr denken. Auf Bestrahlung können wir aufgrund des histologischen Befunds verzichten, wird der Professor zu dir sagen, aber so weit sind wir noch lange nicht. Jetzt sind wir erst so weit, uns derart glückliche Abläufe dringlichst zu wünschen.

Es ist noch viel zu früh für den Anruf gewesen, auf den ich gewartet habe, trotzdem bin ich ins Haus gerannt, als das Telefon klingelte. Die Frauenstimme habe ich erkannt, obwohl wir nicht oft miteinander telefonieren. Sie wolle nur meine Stimme hören. – Das sei eine gute Idee von ihr gewesen. – Ob ich eigentlich wisse, daß sie mich gern habe. – Ich hätte es gehofft. Auch vermutet. – Nun wisse ich es also. – Ja. Und es mache mich froh. – Das sei so einer von diesen Tagen. „Kettenreaktion" sei ein Wort gewesen, mit dem man ihr schon als Kind einen mörderischen Schrecken eingejagt habe. – Als das Wort aufkam, sei ich kein Kind mehr gewesen. Übrigens werde heute mein Bruder operiert. – Ach. Sie habe gar nicht gewußt, daß ich einen Bruder habe. Was Ernstes? Dann wolle sie jetzt mal aus der Leitung gehen.

Ich habe sie dann in ihrem mit Büchern und Manuskripten allmählich zuwachsenden Zimmer gesehen, schmal, zusammengezogen, ihre sparsamen Bewegungen. Die bizarren Bahnen, welche Gedanken und Wörter in'ihrem Kopf beschreiben mögen, ehe sie, immer noch bizarr, doch ein jedes genau an seiner Stelle, auf dem Papier niederge-

28

hen. Ihr alter Schreibtisch. Das Berliner Fenster zum Hof hinaus. Ich habe darüber nachdenken müssen, wie Freundlichkeit mir das Verstehen eines anderen erleichtert, das mir, bei dieser Freundin, manchmal schwerfiel. Vielleicht, hatte sie noch gesagt, sollte sie sich einfach mehr Mühe geben, verständlich zu sein. Es sei doch auch eine Art Selbstschutz, nicht verstanden werden können. Da habe ich sie vor den Folgen solcher Geständnisse für die Beurteilung ganzer Literaturen gewarnt.

Rührung ist nicht am Platze, am wenigsten heute.

Der Schmelz ist weg vom Planeten, nicht? hat die Freundin gesagt. Der Satz hat sich vor die Blätter auf meinem Arbeitstisch geschoben, dem ich mich versuchsweise genähert habe, eingedenk jener beneideten Zunftgenossen, die – Tod, Verderben, Untergang und Bedrohung vieler Art um sich – die Linie, die sie, schreibend, irgendwann einmal angesetzt hatten, unbeirrt weiter verfolgten, wortebesessen, auf ein Ziel hin, zu dem der Abstand sich niemals verringern will. Ich habe mich auf meinen Drehstuhl gesetzt, die Blätter überblickt, einzelne Sätze gelesen und gefunden, daß sie mich kalt ließen. Sie, oder ich, oder wir beide hatten uns verändert, und ich habe an gewisse Dokumente denken müssen, auf denen erst unter einer chemischen Behandlung die wahre, die geheime Schrift hervortritt, während der ursprüngliche, absichtlich belanglose Text sich als Vorwand entpuppt. Unter der Bestrahlung habe ich die Schrift auf meinen Seiten verblassen, womöglich schwinden sehen, und ob einst ein dauerhafter Untertext zwischen den Zeilen hervortreten würde,

29

ist noch ungewiß gewesen. Ich habe eine neue Erfahrung mit einer bösen Art von Freiheit gemacht. Ich habe erlebt, daß es auch die Freiheit gibt, jeglichen Gehorsam aufzukündigen, sogar den, den ich den selbstauferlegten Pflichten schulde. Ich habe es zum erstenmal für möglich gehalten, daß auch diese Art Pflichten sich zersetzen können, und mir ist klar geworden, daß keine Gewohnheit stark genug sein würde, an ihre Stelle zu treten. Ach. Wie freudig würde ich mich weiter auf ein Ziel zubewegen, zu dem der Abstand sich nie verringern würde.

Wie aber könnte ich gehen ohne Ziel?

Erleichtert, falls dieses Wort hier am Platze ist, habe ich mir Urlaub gegeben. Heute kein Wort. Ich bin noch eine Weile sitzen geblieben und habe auf das Rasenstück und die Holunderhecke hinter dem Haus gestarrt, die noch bei weitem nicht die Dichte erreicht hatte, die sie drei, vier Wochen später haben würde. Dann bin ich aufgestanden, hinausgegangen und habe angefangen, unter dem Unkraut zu wüten, mit bloßen Händen. Zuerst habe ich das Gras um die kleinen neugepflanzten Sträucher gerupft, die zu ersticken drohten. Eine winzige Forsythie schickte sich an zu blühen. Absurd, habe ich gesagt und sie freigelegt. Meine Gedanken sind wieder zu jener Freundin hingegangen, und ich habe mich fragen müssen, warum ich mich manchmal gegen sie panzern muß – immer dann, wenn ich Anlaß habe, zu glauben, daß sie mir ihre Sympathie entzogen hat. Der Absturz, nicht nur in die Verunsicherung, auch in Feindseligkeit, geschieht immer, oder fast immer, durch den Verlust der Sympathie. Wie kommt es aber, daß die Antipathie, die A-pathie die Kraft haben, uns dem Bild anzuverwandeln, das sie sich von uns machen. – Im Schatten ist das Gras immer noch naß von Tau gewesen. Ich habe gerupft wie ein Automat und dabei versucht, wie ein Automat sein Programm, meine Gedanken zu löschen. Dem Franzosenkraut, das von den Rändern der Wiese her auf uns zuwächst, habe ich gesagt: Du kommst auch noch dran, warte nur. Dabei weiß ich von früheren Gelegenheiten, daß man Franzosenkraut, wenn es sich einmal auf einem Grundstück festgesetzt hat, niemals wieder vertreiben kann. Zur vollen Stunde habe ich aus meinem kleinen Radio gehört, man tue gut daran, heute, falls man denn unbedingt im Garten arbeiten müsse, dabei Handschuhe anzuziehen, und ich habe mich einen Laut ausstoßen hören, der einem irren Triumphlaut nahegekommen ist, während ich eifrig weiter mit meinen bloßen Händen das Unkraut gerupft habe. Das wollen wir doch mal sehen, habe ich dazu gesagt –

Ob sie zu diesem Zeitpunkt in deinem Kopf, Bruder, schon mit Katzen- oder Schafsdarm gearbeitet haben, einem Nähmaterial, das sich späterhin selbst zersetzt, das weiß ich natürlich nicht, bezweifle es stark. Es ist noch zu früh dazu gewesen, es ist noch darum gegangen, zum Beispiel die Verbindung zwischen der Hypophyse und dem Gehirn zu erhalten. Was, um vorzugreifen, gelungen ist. Und dabei trotzdem „radikal" vorzugehen, was in einem Fall wie dem deinen nur bedeuten kann, den Tumor, der sich sehr, sehr nahe bei der Hypophyse eingenistet hatte, mit Stumpf und Stiel, und zwar bis auf seine letzte Zelle, herauszuschälen aus seiner gesunden Umgebung. Und dabei in jeder Sekunde im Auge zu behalten, daß ein jeder

Quadratmillimeter dieser Umgebung hochsensibel ist. Daß seine Beschädigung jene befürchteten „Ausfälle" verursachen kann, deren Opfer du in anderen Krankenzimmern beobachten konntest und über die wir uns nur in halben Worten verständigt haben. Anstatt mich darauf einzulassen, habe ich mich lieber den Brennesseln zugewandt –

nun allerdings doch mit den rosa Gummihandschuhen an den Händen. Eine unbeschreibliche Genugtuung ist es ja, mit der rechten Hand eine Brennesselstaude zu packen, mit dem linken Zeigefinger unterirdisch ihrem Wurzelverlauf zu folgen, bis man einen günstigen Punkt findet, von dem aus man den kräftigen, tiefen, verzweigten Wurzelstock beharrlich und behutsam in seiner ganzen Länge aus der Erde ziehen kann. Das hätten wir. Du richtest kein Unheil mehr an. Während ich gleichzeitig, wortlos, in einer tieferen Schicht meines Bewußtseins irgendeinem Herrn der Brennesseln oder einem für größere Zusammenhänge zuständigen Naturgeist versichert habe, daß ich nicht beabsichtigte, alle Brennesseln zu bekämpfen; daß ich sehr wohl wisse, daß fünf Falterarten auf die Brennesseln angewiesen seien, als Nahrungsquelle. Und daß diese Falter bei uns noch immer ihr Auskommen haben würden. Ganz etwas anderes aber ist es mit jenem Gewächs, dessen Namen ich nicht einmal weiß, ein klebriges, zielbewußtes Kraut, das an einem einzigen Wurzelfädchen hängt und dem man die Zähigkeit, mit der es sich in der Erde verankert, nie zutrauen würde. Die Blättchen, die es hervortreibt, könnte man für Nadeln halten. Nachdem es im vorigen Jahr zum erstenmal in der Aussichts-

32

lücke zwischen den Holundersträuchern aufgetreten ist, scheint es dieses Jahr den ganzen Grünstreifen hinter dem Haus erobern zu wollen, besonders den frisch aufgeworfenen Hügel, auf dem das neugesäte Gras noch kaum herauskommt, wohl aber, und zwar in Massen, dieses vermaledeite Kraut. Dir werd ich! habe ich laut gesagt. Dir werd ich! – So hat mein Großvater mütterlicherseits gesprochen. Daß dich der Deikert! Wie mag mein Großvater sich den Teufel vorgestellt haben. Dich, sage ich zu dem Kraut, dich rotte ich aus. Das versprech ich dir. Ohne Rücksicht auf die Erhaltung der Arten.

In Kiew bin ich einmal in meinem Leben gewesen, just im Mai. Ich erinnere weiße Häuser. Abfallende Straßen. Viel Grün, Blüten. Das Denkmal auf dem Hügel über dem Dnepr für die Gefallenen des Zweiten Weltkrieges. Das alles verblaßt, vermischt mit ähnlichen Bildern aus anderen Städten. Verblaßt auch die Erinnerung an eine Liebe, die damals frisch gewesen sein muß. Einmal, bald, wird mir alles zur Erinnerung geworden sein. Einmal, vielleicht schon in drei, in vier Wochen – möge es schnell gehen! –, wird auch die Erinnerung an diesen Tag ihre Schärfe verloren haben. Unvergeßlich: der Blick über den Dnepr, ein östlicher Strom. Der Bogen des Flusses. Jenseits die Ebene. Und der Himmel. Ein Himmel wie dieser, reines Blau.

„... daß die Mütter entgeistert den Himmel durchforschen nach den Erfindungen der Gelehrten ..." Nun ist es soweit. Aber da können sie lange suchen, sie sehen nichts. Allein der Verdacht, der in ihnen bohrt, macht es, daß die unschuldige Himmelsfarbe diesen giftigen Ton annimmt. Der bösartige Himmel. So setzen sich die Mütter vors Radio und bemühen sich, die neuen Wörter zu lernen. Becquerel. Erläuterungen dazu – von Wissenschaftlern, die, von keiner Ehrfurcht gehemmt, was die Natur im Innersten zusammenhält, nicht nur erkennen, auch verwerten wollen. Halbwertszeit, lernen die Mütter heute. Jod 131. Caesium. Erläuterungen dazu von anderen Wissenschaftlern, die, was die ersten sagten, bestreiten; die wütend und hilflos sind. Das riesele nun alles, zusammen mit den Trägern der radioaktiven Substanzen, zum Beispiel Regen, auf uns herab –

aber du, Bruder, dem die sichere Hand deines Chirurgen das Augenlicht erhalten möge, wirst es so wenig zu sehen kriegen wie wir. Daß wir es „Wolke" nennen, ist ja nur ein Zeichen unseres Unvermögens, mit den Fortschritten der Wissenschaft sprachlich Schritt zu halten. Unser Erkennungsapparat – dessen Sitz ich mir, wie den des Sprachzentrums, in der linken Gehirnhälfte vorstellen soll, dort, wo die späten kognitiven Funktionen des Menschen sich versammeln –, unaufhörlich neue Informationen aufnehmend und sie mit alten, schon gespeicherten vergleichend, wählt zur Benennung eines neuen Phänomens gewöhnlich diejenige Bezeichnung aus, welche die größte Anzahl an Merkmalsübereinstimmungen mit denjenigen Erscheinungsformen der Materie aufweist, die er seit alters her kennt. So würdest du mir den Vorgang erklären. So ähnlich hast du ihn mir erklärt, als du mir neulich erst das Programm vorführtest, das du auf deinem Personal Computer gespeichert hast. Ich sah, wie sein Gehorsam dich freute, als du das Programm abriefst. Siehst du? Er hat verstanden. Jetzt sucht er PH 1. READY. Siehst du das? Jetzt ist er fertig. Jetzt drücke ich also diese Taste. Jetzt liefert er die Berechnungen dafür, wie ein beliebiger Ausstoß sich von einer Quelle aus verbreitet, wenn diese Quelle sich 20 Meter über der Erdoberfläche befindet. Also, angenommen, ein Schornstein. Und die Emmission kann, zum Beispiel, schwefelhaltiger Rauch sein. So. Und damit du das Ganze auf einen Blick überschauen kannst: Zackzackzackzackzack: Die dazugehörige Grafik. Das ist der Vorteil dieses Systems, es zeichnet auch. Jetzt siehst du den Verlauf: Bis zu etwa 200 Metern ziemlich steil ansteigend, und dann, hier, der Pik: Bei der angenommenen Schornsteinhöhe von 20 Metern wäre die maximale Schadstoffkonzentration auf einer Kreislinie von ca. 200 Metern Abstand von der Ausstoßquelle zu erwarten. Und je höher der Schornstein wäre, desto weiter würde sich das Immissionsgebiet natürlich von der Quelle entfernen. Was nehmen wir denn mal. Also: 30 Meter Schornsteinhöhe. Die Taste. READY. Zackzackzackzack: Die Zahlen. Jetzt wieder die Grafiktaste. Bittesehr. Der Pik hat sich deutlich verschoben. Was zu erwarten war. – Wenn du also, lieber Bruder, deinen Computer am Krankenbett hättest, dann könntest du die Drift unserer Wolke berechnen – vorausgesetzt, du hättest Ausgangswerte, zum Beispiel über Quellstärke, Höhe des Reaktors, Windgeschwindigkeit, um deinen Computer damit zu füttern. Die aber hast du nicht –

Wie merkwürdig, daß A-tom auf griechisch das gleiche heißt wie In-di-viduum auf lateinisch: unspaltbar. Die diese Wörter erfanden, haben weder die Kernspaltung noch die Schizophrenie gekannt. Woher nun der moderne Zwang zu Spaltungen in immer kleinere Teile, zu Ab-Spaltungen ganzer Persönlichkeitsteile von jener altertümlichen, als unteilbar gedachten Person –

Ob das Gehirn, das einzige Organ des Menschen, das – neben Herz und Lunge – auch während des Schlafs aktiv bleibt, in der tiefsten Narkose wirklich zur Ruhe kommt. Ob es wenigstens für Stunden aufhören kann, rastlos nach Reizquellen zu suchen, und, falls seine Umgebung ihm echte Reize nicht zuleitet, aus Ersatzquellen zu schöpfen. Seine immense überschüssige Energie an Ersatzprobleme zu vergeuden: unerforschbar, daher eine falsche Fragestellung. Kein Chirurg könnte in den Gehirnen der Männer, die sich die Verfahren zur sogenannten friedlichen Nutzung der Kernenergie ausgedacht haben, zu jener Gruppe neuronaler Verbindungen vordringen, die keine Ruhe gab. Deren Dauererregung nur zu stillen war durch die Arbeit an ausgerechnet den Problemen, die das ungebändigte Atom seinen Bändigern stellte. Ohne dieses Ziel, vermute ich versuchsweise, hätten sie nichts mit sich anzufangen gewußt; hätten maßlos unter ihrer überentwickelten Gehirntätigkeit leiden müssen –

Da wirst du mich ungerecht finden, Bruder, und ich scheue mich, ungerecht zu sein oder zu erscheinen, das weißt du; aber weißt du auch, warum? Weil ich durch Gerechtigkeit gegen jedermann die verletzenden Ungerechtigkeiten der anderen von mir ab-, an mir vorbeizulenken suche. Es soll dir also zugestanden werden – später; nicht heute; heute nicht –, daß jene Männer, die dem friedlichen

Atom nachjagten, von einer Utopie geleitet wurden: genug Energie für alle und auf ewig. Hätten sie es rechtzeitig anders wissen können? Wann hatte ich es zum ersten Mal mit ihren Widersachern zu tun? Laß mich nachdenken. Es war Anfang der siebziger Jahre, das Kraftwerk hieß Wyhl, es ist nicht gebaut worden. Die jungen Leute, die uns die ersten Materialien über Gefahren bei der „friedlichen" Ausnutzung der Atomenergie in die Hand drückten, wurden verlacht, reglementiert, gemaßregelt. Auch von Wissenschaftlern, die ihre Arbeit, ich hoffe: ihre Utopie, verteidigten. „Monster"? Aber habe ich gesagt, daß sie Monster waren? Treiben die Utopien unserer Zeit notwendig Monster heraus? Waren wir Monster, als wir um einer Utopie willen – Gerechtigkeit, Gleichheit, Menschlichkeit für alle –, die wir nicht aufschieben wollten, diejenigen bekämpften, in deren Interesse diese Utopie nicht lag (nicht liegt), und, mit unseren eigenen Zweifeln, diejenigen, die zu bezweifeln wagten, daß der Zweck die Mittel heiligt? Daß die Wissenschaft, der neue Gott, uns alle Lösungen liefern werde, um die wir ihn angehen würden? Ist die Frage falsch gestellt? Habe ich, weil ich seit Tagen, Wochen diese wahrscheinlich falsch gestellte Frage ergebnislos umkreise, nur zu gerne den Vorwand benutzt, den dieser Tag mir liefert, mich von meinem in falschen Fragestellungen, zaghaften Annäherungen, unzureichenden, daher zahllosen Ansätzen steckengebliebenen Manuskript zu beurlauben? Gesucht und zugleich geflohen wird der Punkt des stärksten Schmerzes; ich sollte es wissen, Bruder, woher dieses Gefühl des Zerrissenwerdens kommt; verstehen – mein Gott ja, verstehen kann

37

ich es schon, wenn man versucht, dem auszuweichen, bis in den Kosmos, oder eben ins Atom –

Liste der Tätigkeiten, die jene Männer von Wissenschaft und Technik vermutlich nicht ausüben oder die sie, dazu gezwungen, als Zeitvergeudung ansehen würden: Einen Säugling trockenlegen. Kochen, einkaufen gehn, mit einem Kind auf dem Arm oder im Kinderwagen. Wäsche waschen, aufhängen, abnehmen, zusammenlegen, bügeln, ausbessern. Fußböden fegen, wischen, bohnern, staubsaugen. Staubwischen. Nähen. Stricken. Häkeln. Sticken. Geschirr abwaschen. Geschirr abwaschen. Geschirr abwaschen. Ein krankes Kind pflegen. Ihm Geschichten erfinden. Lieder singen. – Und wieviele dieser Tätigkeiten sehe ich selbst als Zeitvergeudung an?

Ich habe gelesen: Der Mensch, unfertig und unvollkommen, könne auch als ein Wesen definiert werden, das aktiv nach seiner optimalen Entwicklung suche. Ich – jenes Ich, das sich zum Zwecke des Nachdenkens von „mir" abzuspalten pflegt –, ich habe mich sehr komisch gefunden, in der Lücke zwischen den Holunderbüschen stehend, nochmal und nochmal den Ausblick über das grüne Getreidefeld, wie es da in großen Wellen zum See hin abläuft, in mich aufnehmend, ein Bild, nach dem ich süchtig werden könnte, und mich fragend: Was will der Mensch. Ich, lieber Bruder, habe mir gedacht: Der Mensch will starke Gefühle erleben, und er will geliebt werden. Punktum. Insgeheim weiß das jeder, und wenn es ihm nicht gegeben ist, nicht gelingt oder verwehrt wird, diese seine tiefsten Sehnsüchte zu befriedigen, dann schafft er – ach: wir! –, dann schaffen wir uns Ersatzbefriedi-

gung und hängen uns an ein Ersatzleben, Lebens-
ersatz, die ganze atemlos expandierende unge-
heure technische Schöpfung Ersatz für Liebe. Alles, was sie Fortschritt nennen und woran auch ich
hänge, Bruderherz, ob ich will oder nicht, nichts
als Hilfsmittel, um starke Gefühle auszulösen
(„... wenn ich meine schwere Maschine zwischen
den Schenkeln habe, bin ich so unendlich viel
mehr als mein mickriger Chef ...") – kann man
das sagen; sind wir die letzte Generation, die
glaubt, starke Gefühle dürften nur von Menschen
in uns ausgelöst werden, alles andere sei läster-
lich, lasterhaft –

aber nun hat wieder das Telefon
geklingelt, und ich renne, was ich rennen kann,
zur Hintertür ins Haus, durch den noch winterkal-
ten Flur, die dunkle Diele in die große Stube, wo
der signalrote Apparat, gesegnet sei er, auf der
Holztruhe steht; wo mir, als ich endlich den Hörer
am Ohr habe, die Stimme deiner Frau, meiner
Schwägerin, mitgeteilt hat, es gebe noch keine
Nachricht über dich. Sie operieren noch, habe die
Schwester ihr gesagt. Vor vierzehn Uhr könntest
du nicht wieder auf der Station sein. Sehr lang, haben wir beide gefunden; sechs Stunden, das wäre
ja sehr lang, und wir haben uns nicht laut gefragt,
wofür diese lange Dauer der Operation ein Zeichen sein könnte, haben überhaupt nur das Not-
wendigste gesagt, denn wir haben beide Angst gehabt, daß ein Wort zuviel einen Damm durchstoßen könnte, der noch halten mußte.

Ich bin also durch die vordere Veranda wieder
ins Freie gegangen, habe vorher nur schnell die
Blumentöpfe auf den Fensterbrettern inspizieren
wollen und einen freudigen Schreck bekommen:

die Zucchini-Pflanzen waren aufgegangen! Siebzehn Keimlinge in acht Töpfen. Jeden habe ich in die Hand genommen, habe lange die bleichgrünen, zusammengerollten Blättchen betrachtet, jedes einzeln, wie es, mit dem Ellenbogen sozusagen, nämlich mit dem Stiel zuerst aus der Erde stößt und sich erst später, in den nächsten Tagen, aufrichten wird, das Blatt entfalten, an dessen Spitze noch der kürbiskernähnliche Samen haftet, aus dem es sich entwickelt hat – ein Vorgang, den ich nicht verstehe; den, wie ich glaube, kein Mensch wirklich versteht. Warum hat es mir soviel bedeutet, daß die Zucchini aufgegangen waren. Ich habe die größer gewordenen Pflänzchen auf dem Sonnenbeet vor mir gesehen, bei günstigem Wetter zuerst ihre Keimblätter treibend, dann in unaufhaltsamem Wachstum schlangenartig ihre rauhen Stiele herausschiebend, sie mit denen der anderen Pflanzen verflechtend. Habe die großen, gelbleuchtenden Blüten gesehen. Die Früchte: gurkenartig, schön geformt, dunkelgrün glänzend. Die Mahlzeiten im Freien, deren Mittelpunkt die panierten, gebratenen, mit Knoblauchsauce bestrichenen Zucchinischeiben sein werden. Ja. Es würde wieder einen Sommer geben. Alle zusammen, viele Menschen, würden wir um den riesigen Tisch hinter dem Haus sitzen, der wieder aus der hellgrün gestrichenen Tür und zwei Holzböcken aufgebaut werden und über den ich die blaugeblümte Wachstuchdecke breiten würde, an allen vier Ecken mit Steinen gegen den Wind beschwert. Jetzt gleich, sofort, habe ich in den Stall gehen müssen, nachsehen, ob die Tür und die Holzböcke noch da waren, es hat in dem Moment nichts Wichtigeres für mich gegeben. In dem früheren Hühnerstall habe ich Beutel mit Torferde gefunden, die ich gut habe gebrauchen können, aber nicht die Tür. Im ehemaligen Pferdestall ist alles säuberlich gestapelt und an die Wand gelehnt gewesen: Tür, Holzböcke, und davor die Fahrräder. Die Fahrräder! Ich habe eines herausgezogen, habe nur auf dem Vorderrad Luft nachpumpen müssen und es vor die Tür geschoben. Gerade ist noch Zeit gewesen, zum Konsum zu fahren, ehe er schließen würde.

Auf der verlassenen Dorfstraße hat ein Rote-Kreuz-Auto gestanden, und ich habe angenommen, eine der einsamen alten Frauen in den ehemaligen Gutsarbeiterhäusern sei krank geworden und werde abgeholt. Da ist aber niemand gewesen, den ich hätte fragen können. Die Mutter der Verkaufsstellenleiterin vom Konsum betraf es jedenfalls nicht, obwohl die schon seit Wochen ihr Bett nicht mehr verlassen hatte und von ihrer Tochter betreut werden mußte. Wenn da etwas passiert wäre, das hätte die zweite Verkäuferin gewußt. Ich habe mir die bestellten Milchflaschen in die Tasche gezählt und gefragt, ob eigentlich auch heute alle Leute ihre Milch abholen würden. Doch, hat die Verkäuferin gesagt, alle kauften ihre Milch wie eh und je, man wüßte ja nichts anderes. Schlimm, schlimm das alles, hat sie gesagt, aber unsereins könne ja sowieso nichts dagegen tun. Schließlich könne man nicht zu essen und zu trinken aufhören. Der junge Prochnow, der im Rinderstall arbeitet, hat sich ein paar Flaschen Bier geholt und mich bedeutsam angeblickt. Ich habe verstanden, was er sagen wollte. Im vorigen Herbst hat er an unserem Küchentisch seine feste Überzeugung kundgetan, daß es Außerirdische gebe, Geist-We-

41

sen, die uns in jeder Beziehung weit voraus seien und unsere Erde fest unter ihrer Kontrolle hätten. Die es weit kommen ließen mit dem Wahnsinn der Menschheit, die aber in allerletzter Sekunde, wenn wir drauf und dran seien, uns selbst zu zerstören, eingreifen würden. Wie, das hat natürlich Fritz Prochnow auch nicht gewußt; aber daß sie es tun würden – dessen war er ganz und gar sicher. Nun, im Konsum, hat er zu mir gesagt: Sehen Sie. Wir brauchen gar keinen Krieg. Wir sprengen uns mitten im Frieden in die Luft. – Und? habe ich gesagt. – Warten Sie's ab! hat der junge Prochnow gesagt. Er liest sämtliche Bücher über Astronomie und Zukunftsforschung und sämtliche utopischen Romane, die er finden kann. Ihm kann keiner erzählen, daß die Menschheit erschaffen und verurteilt wurde, all die Mühen ihrer Entwicklung auf sich zu nehmen, all das zu ertragen, was sie ertragen mußte, um sich dann am Ende selbst zu vernichten. Das kann mir keiner erzählen, hat er gesagt. Das soll glauben, wer keine Kinder hat. Ich habe drei Kinder. Ich glaub das nicht.

Ich bin zurückgefahren, auf der abfallenden Pflasterstraße unter den alten Linden, an der uralten Dorfkirche vorbei, die nicht mehr benutzt wird, ich habe den Lenker sehr festhalten müssen, das Rote-Kreuz-Auto ist weg gewesen, ich habe mich gefragt, ob die Betrachtungsweise von Fritz Prochnow – daß wir alle ferngelenkte Wesen sind, die an Fäden laufen, welche andere in der Hand halten – ihm die Sache erleichtert oder nicht. Auf der Straße haben einige ältere Frauen zusammengestanden, ich habe kurz angehalten und erfahren, daß es Herr Weiß gewesen ist, den das Rote-Kreuz-Auto abgeholt hat: Umgefallen sei er, seiner

42

Sinne nicht mächtig, es sehe nicht gut aus mit ihm.
Ganz von allein hat mein Rad den Bogen zur Post-
fächerreihe gemacht; als die Schließklappe herun-
tergefallen ist, fiel ein halbes Dutzend Briefe hin-
terher. An den Zeitungen habe ich zerren müssen.
Ich habe das Rad über die Straße geschoben, einen
Blick auf die Absender der Briefe geworfen. Auf
zwei, drei bin ich neugierig gewesen –

Es ist mir
eine ungute Vorstellung geblieben, daß man einen
Schädelknochen, zum Beispiel ein Stirnbein, tech-
nisch nicht anders behandelt als ein Stück Metall,
wenn man ein Segment aus ihm herausschneiden
will: Man setzt einen Bohrer an. Wahrscheinlich
ist es auch eine simple mechanische Pumpe, mit
der man das Gehirnwasser abpumpt, welches den
eigentlichen Eingriff behindern würde. Ein Teil
des Kopfschmerzes, der nach der Operation zu erwarten steht, beruht ja auf dem Tatbestand der
fehlenden und sich allmählich erst wieder sam-
melnden Gehirnflüssigkeit –

Wieder einmal, so ist
es mir vorgekommen, hatte das Zeitalter sich ein
Vorher und Nachher geschaffen. Ich könnte mein
Leben beschreiben, ist mir eingefallen, als eine
Folge solcher Einschnitte, als eine Folge von Ein-
trübungen durch immer dichtere Schatten. Oder,
im Gegenteil, als fortlaufende Gewöhnung an här-
tere Beleuchtungen, schärfere Einsichten, größere
Nüchternheit. Obwohl ich gewußt habe, daß ich
nicht ganz zufällig den Weg über den Grashügel
nahm, nicht ganz ziellos meine Augen über den
großen Kleeflecken schweifen ließ, aus dem wir
schon so manches vierblättrige Kleeblatt herausgeholt haben, habe ich doch einen Freudenlaut

ausgestoßen, als ich ein großes Vierblatt sah. Ich finde sie nur, wenn niemand da ist, der sie mir suchen könnte.

Wie herrlich leuchtet mir die Natur.

Vielleicht ist es nicht die dringlichste Frage, was wir mit den Bibliotheken voller Naturgedichte machen. Aber eine Frage ist es schon, habe ich gedacht. Mir ist bewußt geworden, daß ich genau auf der Stelle gestanden bin, die ich seit einer Woche zu meiden suchte, wenn ich nicht gerade gierig auf vierblättrige Kleeblätter gewesen bin. Seit jene Familie – Vater, Mutter, Sohn; und die Mutter ist in diesem selben Haus, in dem jetzt wir die Sommer verbringen, groß geworden – vorige Woche hier über die Wiese gekommen ist und sich umgesehen hat, wie Leute sich umsehn, die wissen, was sie suchen. Seit die Frau, heute Krankenschwester, korpulent, dauergewelltes Haar, mich unterrichtet hat, was hier, auf diesem Flecken, auf dem ich stand, im Sommer fünfundvierzig stattgefunden hat. Sie solle doch endlich damit aufhören! hat der lange, schlaksige Sohn sich eingemischt, aber die Frau sah nicht ein, warum sie nicht davon reden sollte: Hier, genau hier, war ihr Vater damals von Russen abgeholt worden. In einem Militärauto, Karsten! Und ihr Vater habe noch ihrem kleinen Bruder über den Kopf gestrichen, und er habe gesagt: Heul man nicht, ich bin bald wieder da, das ist doch ein Mißverständnis. Wiedergekommen ist der Mann aber nicht. Warum nicht? Was er gemacht hat? Nichts, das war es doch eben. Nichts hat er gemacht, Fahrer ist er gewesen. – Fahrer bei der Gestapo, sagte der Junge, der weiter gelangweilt die Scheune betrachtet hatte, und nach diesem zweiten Satz, den er verlauten ließ, ging er.

44

Da mischte der Mann sich ein, scharf: Fahrer, ja!
Und das sei doch wahrhaftigen Gottes kein Grund
gewesen! Er ging dem Jungen nach. Die Frau
mußte mir noch erzählen, wie ihre Mutter, die das
Land hier dann in Pacht genommen hatte, sich all
die Jahre über abrackerte für die vier Kinder. Und
wie sie, als die Kinder groß waren und auf Besuch
kamen, immer da oben vor der Veranda gesessen
und ihnen nachgewinkt hat, wenn sie wieder ab-
fuhren. So wie ich jetzt dort stehe und winke, wenn
Besucher abfahren. So wie jetzt dort, ich habe es
erst beim Näherkommen gesehen, unser Nachbar
sitzt, Heinrich Plaack, in seiner typischen Haltung,
vornübergeneigt, die Ellenbogen auf die Knie gestützt, schwer atmend. Er wolle man bloß den Ga-
ragenschlüssel haben, um sich Saatkartoffeln raus-
zuholen. Wolln doch mal sehen, ob wir heute nicht
ein paar Kartoffeln in den Boden kriegen. Wetter
ist ja danach. Wenn es nun man bloß nicht gleich
wieder regnen täte.

Nein, hab ich gesagt, das soll es lieber bleiben-
lassen. Das Leben von Heinrich Plaack währt sieb-
zig Jahre, und es war köstlich, denn es ist Mühe
und Arbeit gewesen, und es hat ihn nicht gelehrt,
etwas anderes zu sagen, als das, was er wirklich
meint. Er meint, wir hatten erstmal genug Regen
dieses Jahr, der Boden ist tief durchfeuchtet, Kartoffeln und anderes Saatgut können lange davon
zehren. Ich, wenn ich ihm zustimme, denke an die
Wolke, wie sie, böser und böser werdend, nach
einer Wetterlage umherirrt, die es ihr erlaubt, sich
abzuregnen. Wie selbst Regionen, die sonst um Regen flehen, ihn jetzt liebend gerne missen wollen.
Sollen die anderen ihn abkriegen. Wir halten, für
den Notfall, Regenschirm, Regenmantel, Gummi-

stiefel bereit. Wir werden, falls es morgen, über-
morgen regnen sollte, unsere Kinder nicht in die
Schule, nicht bis zur Bushaltestelle gehen lassen.
Werden wir ihnen auch verbieten, zu singen: Es
regnet, Gott segnet / Die Erde wird naß / Da freun
sich die Kinder / Da freut sich das Gras. Neben
dem einen Gott, der die Welt geschaffen hat und
regiert, gibt es nach der Auffassung mancher Ab-
weichler einen anderen Gott, der die Welt nicht
geschaffen hat und sie nicht regiert. Einen fremden, unbekannten Gott. Indem ich mein Sinnen
und Trachten auf ihn gerichtet habe, geschah es,
daß ich seiner gewahr geworden bin. Eine Sekun-
denerfahrung, die in Worte zu fassen niemand mir
zumuten wird. Nur soviel: Wenn ich mich recht erinnere, war der Gesichtssinn, unser Leitsinn, an
meinem Erlebnis kaum oder gar nicht beteiligt.
Obwohl ich gespürt habe, unter einer unerhör-
ten, mich womöglich zerreißenden Anstrengung
könnte ich die mich plötzlich umgebende Macht
oder Kraft oder Energie oder Potenz (bis zum
Schmerzhaften verdichtete Atmosphäre) auch
dazu bringen, sich zu materialisieren: ihr Gesicht
zu zeigen. Ich habe diese Anstrengung nicht gewagt. Eilig, eilig habe ich die Spannung, knapp
ehe sie unerträglich wurde, wieder abgebaut, und
meine Furcht ist groß gewesen. Etwas von Enttäu-
schung war ihr beigemischt. Unleugbar ist, ich
habe schlappgemacht. Nicht ihn habe ich gefürchtet, den Gegengott. Ich fürchtete die Ab-
gründe in mir selbst – was heißt: unter meiner
Schädeldecke –, aus denen ein solches Un-Wesen
aufsteigen könnte –

Wir sind, Bruder, nicht darauf
konditioniert, jene elektrischen Stürme in unserem

Gehirn, die hin und wieder unkontrolliert ausbrechen, auszuhalten und es darauf ankommen zu lassen, was sie mit uns anstellen wollen. Bestimmte Reaktionsmuster seien in unserem Gehirn verdrahtet – dies ist der Ausdruck, den die Biologen verwenden, ohne das unschöne Bild zu scheuen, das sie uns dadurch suggerieren. Einzusehen ist, daß es zu uneffektiv, viel zu zeitaufwendig wäre, wenn einunddieselbe Reaktion auf einunddenselben Reiz sich jedesmal neu ihre Bahn durch den Dschungel des Gehirns suchen müßte: ein Wesen mit einem solchen Nervensystem hätte kaum Überlebenschancen gehabt. Aber Drähte sind es gewiß nicht, die die Operateure in deinem Gehirn vorfinden (allerdings werden sie Metallisches zurücklassen: Goldklammern, mit denen die blutenden Gefäße abgeklammert werden); sie finden jene Masse, die sich unter dem Mikroskop in Zellen auflösen würde: Neuronen; und sie könnten, bei starker Vergrößerung, jene „Synapsen" benannten Verbindungen zwischen den Neuronen finden, deren Menge größer ist als die Gesamtzahl der Elementarteilchen im Universum. Dies ist, Bruderherz, eine der wenigen Zahlen, die mich erregen können. Ob nicht da, ausgerechnet bei unserem Gehirn, in einem Evolutionsüberschwang, der allerdings seine Hunderttausende von Jahren gedauert haben mag, des Guten ein wenig zuviel getan wurde –

Mir ist bewußt geworden, daß der alte Plaack schon eine Weile zu mir gesprochen hat, über seinen Schwager, jenen Mann, der Fahrer bei der Gestapo gewesen und 1945 in einem sowjetischen Lager ganz in der Nähe gestorben ist. Der alte Plaack muß also erfahren haben, daß seine

47

Nichte mir davon erzählt hat. Ich habe schon öfter bemerkt, daß die Zeiten, die er braucht, um über schwierige Dinge zu reden, viel länger sind als die Zeiten, die ich dazu brauche. Und daß der Vorrat an Themen, über die er niemals sprechen würde, bei ihm größer sein muß als bei mir. Mein Schwager, hat er zu mir gesagt, der ist sich nichts Böses gewahr gewesen. Wenn er sich was gewahr gewesen wär, dann hätt er sich doch davongemacht.

Da mag er recht haben. Ich habe die bewußten Autos vor mir gesehen, die ohne Fahrer niemanden hätten fahren, transportieren, irgendwo hinbringen, irgendwo abliefern können. Das ist es ja gerade, habe ich sagen wollen, habe es aber unterlassen. Wir haben eine Weile geschwiegen. Dann hat Heinrich Plaack gesagt: Nun bringen sie woll noch die Wolken durcheinander –

Um dir die wichtigsten Informationen nachzuliefern, die du in Schlaf oder Halbschlaf versäumst: Am Sonnabend voriger Woche, um ein Uhr fünfundzwanzig Ortszeit, gab es einen Brand im Maschinenhaus des vierten Reaktorblocks. Um ihn auszulösen, mußten mehrere unglückliche Umstände unvorhersehbarer Art zusammentreffen. Was nach Aussage der Physiker höchstens einmal in 10 000 Jahren hätte geschehen können, ist jetzt geschehen. Zehntausend Jahre sind eingeschmolzen auf diesen Tag. Das Gesetz der Wahrscheinlichkeit hat uns zu verstehen gegeben, daß es ernst genommen werden will. Die Physiker fahren fort, in ihrer uns unverständlichen Sprache zu uns zu sprechen. Was sind „15 Millirem fall-out pro Stunde". Wie lange müßte ich, wie lange müßte ein einjähriges Kind, wie lange ein Embryo im Mutterleib ihnen ausgesetzt sein, um Schäden davonzutragen. Jede relativ neue Technologie, hören wir nun, fordere zunächst auch Opfer. Ich habe versucht, mich dagegen zu wappnen, daß auf dem Fernsehschirm die Gesichter von Menschen auftauchen könnten – sie *sind* aufgetaucht –, die sich bemühen würden, ein Lächeln zustande zu bringen. Deren Haare ausgefallen sein würden. Deren Ärzte das Wort „tapfer" verwenden würden. Ein Graphitbrand, mit dem niemand hat rechnen können, werden wir zu hören kriegen, sei aber, einmal ausgebrochen, ganz besonders schwer zu löschen. Jemand aber habe es tun müssen. An jenem Tag, von dem ich immer noch rede, damit er dir nicht ganz verlorengeht, war von zwei Toten die Rede. Mir ist den ganzen Tag über eine Wortverbindung nicht aus dem Kopf gegangen: der glühende Kern. Jetzt schüttet der Mensch, zweitausend Kilometer von uns entfernt, mit Beton, Sand und Blei den glühenden Kern unserer verbotenen Wünsche zu. Das Wort „Katastrophe" ist solange nicht zugelassen, wie die Gefahr besteht, daß aus der Katastrophe das Verhängnis wird. Du, nehme ich an, kennst alle möglichen Bedeutungen des terminus technicus GAU –

Wieder habe ich die Übergänge versäumt, der alte Plaack war in seiner Erzählung fortgeschritten. Habe ich je bemerkt, daß er nur ein Auge hat? Jetzt habe ich im stillen bewundert, wie genau man mit einem Glasauge die Farbe des lebenden Auges treffen kann. Der Verlust eines Auges hat ihm das Leben gerettet. Manchmal laufe alles so verquer. Als es ganz dicke gekommen sei, zuletzt an der Ostfront, da habe er sein Glasauge rausgenommen und in die Tasche gesteckt und sich einen Verband über die leere Augenhöhle gemacht, und da habe er so verwundet ausgesehen, daß jedes Einsatzkommando ihn weiter hinter die Front geschickt habe, und je dreckiger sein Verband geworden sei, umso günstiger sei es für ihn gewesen. Ärgert dich dein rechtes Auge ...

Heinrich Plaack ist der erste Mann gewesen, der mir vom Krieg erzählt und sich dabei immer noch gequält hat, „wie Unsere gewesen sind". Die allerschlimmsten Sachen könne kein Mensch erzählen, hat er gesagt. Aber bloß mal als kleines Beispiel: In Frankreich, wo die Leute doch alle vor uns geflohen waren, da standen die Häuser leer, Kasten und Kisten gepackt. Das haben die ja alles zurücklassen müssen. Und er nun, schmutzig und zerlumpt, wie sein Zeug war, sei auch mal in so ein Haus gegangen und habe sich ein frisches Hemd genommen in seiner Größe und ein Paar Socken, das gebe er ja offen zu. Aber da habe er doch drauf gesehen, daß er sonst nichts angerührt und alles ordentlich hinterlassen habe. Am nächsten Tag aber, als er wieder vorbeigekommen sei, habe es drinnen ausgesehen, als hätten da die Vandalen gehaust. Seine eigenen Kameraden, die seien an die Truhen und Kisten rangegangen. Die hätten alles aufgebrochen, das frische saubere Bettzeug hätten sie auf den Fußboden gezerrt, drauf rumgetrampelt seien sie, für nichts und wieder nichts, aus lauter Übermut und Dollerei. Da habe er zu seinem Leutnant gesagt, was ein vernünftiger Kerl gewesen sei, wenn er mit ihm allein war: Dat geit nich gaut, Herr Leutnant, habe er gesagt, und der habe ihm erwidert: Sollst recht haben, Heinrich. Keine Achtung vor nichts – das hat nicht gut gehen können –

Ich will ja nicht drängen. Aber jetzt geht es allmählich auf Mittag zu, und unsereins kann sich eben nicht so richtig vorstellen, was eine gute Mannschaft von ausgebildeten Spezialisten so viele Stunden lang mit − oder richtiger: in − deinem Kopf anstellt, Bruder. Ich gebe zu, ein wenig beunruhigt mich die Tatsache, daß diese Leute, wie alle Spezialisten, den heiligen Schauder vor den Abgründen ihres Faches nicht mit uns Laien teilen können; daß sie also, in unvermeidlicher Berufsroutine, deine und meine ehrfürchtige Scheu vor einem Eingriff in jene Sphäre verloren haben, in der beschlossen liegt, ob wir so oder anders sind; ob wir, nach dem Eingriff, uns noch selbst erkennen. Welche Zahl, welche Art von „Ausfällen", „Defekten" wir notfalls dulden können, ohne uns fremd zu werden. Wenn schon einer der Sinne geopfert werden muß, dann, so würde wohl jedermann reden, der Geruchssinn. Aber den Geschmack habe ich Ihnen erhalten können, wird dein Professor dir sagen, und du wirst nicht erfahren, ob er sich, für dich und an deiner Stelle, in einem bestimmten Augenblick entscheiden mußte, zwischen Riechen und Sehen, zum Beispiel. Der Geschmack? Nicht ganz. Daß etwa bestimmte Biersorten in Zukunft ein bißchen seifig schmekken werden ... Auf Bier, Bruder, läßt sich verzichten.

Worauf noch? Bei niederen Tieren, übrigens, sollen ja Geruchs- und Geschmackssinn „oft gekoppelt" sein. Die ersten Säuger entstanden vermutlich vor rund 200 Millionen Jahren aus säugerartigen Reptilien, die den Kampf mit den übrigen Reptilien um die ökologischen Nischen verloren und die relativ leeren Nachtnischen übernahmen – eine Existenzweise, die die Fernsinne Gehör und Geruch dringend benötigte und sie daher bevorzugt entwickelte. Einige Abzweigungen am Stammbaum der Wirbeltiere führten in Sackgassen. Ob derjenige Zweig, der zum Menschen führte, ebenfalls in einer Sackgasse enden wird, kann man noch nicht beurteilen. *Der Mensch erscheint im Holozän.* Überträgt man die Daten der Entwicklung des Lebens auf der Erde auf eine 24-Stunden-Skala, so begannen die Wirbeltiere ihre Evolution gegen 21 Uhr 30, die ersten Hominiden die ihre gegen 23 Uhr 57. Um zwei Sekunden vor Mitternacht, Bruder, betritt der Mensch die Weltbühne. Die Intelligenz wird zum entscheidenden Evolutionsfaktor. Der intelligente Mensch schafft sich die Mittel zur Unterwerfung der Natur und seiner Artgenossen. Die Regeln und Normen, die er sich selbt auferlegt hat, sucht er, und sei es um den Preis der Selbstvernichtung, unter Anwendung offener oder versteckter Gewalt zu durchbrechen –

so daß, müßte ich hier sagen, obwohl dieser Anschluß allzu billig erscheinen könnte, ein Mann wie Heinrich Plaack, ehemals Landarbeiter, dann Genossenschaftsbauer, jetzt Rentner, am Ende seines Lebens auf der Steinbalustrade vor dem ehemaligen Pfarrhaus sitzt, die Ellenbogen auf die Knie gestützt, die Hände zwischen den Knien herunterhängend, den Kopf geneigt, und sich fragen muß: Was ist bloß los. Was ist bloß mit manchen Menschen los. Es sei doch wirklich, hat er gesagt, als ob manche Menschen einen Wurm im Kopf hätten, der ihnen keine Ruhe lasse. So einen hätten sie auch in ihrer Kompanie gehabt, er müsse immer noch an ihn denken. So einen Großtuer. So

52

einen Nichtsnutz. Wissen Sie, was der für Schlechtigkeiten fertiggekriegt hat?

Ich habe den alten Plaack nicht dazu bringen können, seine Geschichte für sich zu behalten, obwohl ich bis in die Haarwurzeln gespürt habe, daß er drauf und dran gewesen ist, meiner inneren Galerie der unvergeßlichen Greuel ein neues Beispiel hinzuzufügen: die Geschichte von dem jungen russischen Soldaten, der, Tage nach den anderen Angehörigen seiner Einheit, erschöpft und fast erfroren aus einem Sumpfgebiet hervorkommt und den jener niederträchtige Mensch aus Heinrich Plaacks Kompanie zwingt, sich, ehe er zum Gefangenenlager hinter die Linien laufen muß, die Stiefel auszuziehen. Bei vierzig Grad Kälte, hat Heinrich Plaack gesagt, das muß sich ein Mensch mal vorstellen. Du, hab ich gesagt, überleg, was du tust, der kommt doch nie an! Da hat er nur den Kopf geschmissen, der verdammte Kerl. Und die Stiefel haben ihm nichtmal gepaßt. Das wird dir nochmal leid tun, hab ich ihm gesagt. Der Tag wird kommen. Und als er dann ein paar Wochen später mit seinem Bauchschuß dagelegen und gebrüllt hat, da hab ich gesagt: Du sei man ganz ruhig. Du denk man an den Russen, was du mit dem gemacht hast. Da hat er bloß die Augen nach oben gedreht und hat keinen Ton mehr rausgebracht. –
So werd ich also immer den Blick des jungen Russen sehen, das Kopfschmeißen des jungen Deutschen, und wie er daliegt und die Augen nach oben dreht. Nee, hat der alte Plaack gesagt, loswerden kann man das nie mehr. Nie. Wer das sagt, lügt.

Das Telefon. Ich bin losgerannt. Die Freundin von vorhin. Was denn nun mit meinem Bruder sei. Weiß noch nicht, hab ich gesagt, sie operieren noch. Aha. Dann wolle sie mal wieder aus der Leitung gehn –

Manchmal, Bruder, gerätst du in so diffuse Verhältnisse, daß du nichtmal weißt, worüber du jetzt nun eigentlich nachdenken sollst. Physiologisch muß sich das wohl als ein Flimmern in mehreren Gehirnpartien darstellen, nehme ich an. Eine vorsorgliche Bereitstellung von noch ungerichteter Energie, die nicht schnurstracks in das vorgebahnte Verbundnetz einfließt, sondern unerforschtes Gelände abtastet, ehe sie sich zum Beispiel zu einer Frage bündelt: Woher kommt bloß diese Lust an Spaltung, an Zertrümmerung, an Feuer und Explosionen!

Du hast mir das Wort „Lust" in diesem Zusammenhang verboten. Lust, Lust ... hast du gesagt. Das sei wieder so ein übertriebener und parteiischer Begriff. Die Sache sei viel einfacher. Wenn einer einmal angefangen habe, etwas zu erfinden. Oder zu entdecken. Oder zu entwickeln: Dann könne der eben nicht mehr damit aufhören. Wer dem spaltbaren Atom auf der Spur sei, als Beispiel, der könne seine Versuche einfach nicht mehr abbrechen. – Wie die Ratten, sagte ich, welche unaufhörlich die „Lusttaste" drücken. Aber dies war ja eben meine Frage. Wo sitzt das Lustzentrum im Gehirn dieser Wissenschaftler?

Ganz, sagte ich, würde ich diesen Kitzel wohl niemals verstehen, der jene Handvoll höchstbegabter Physiker und Chemiker vor einem halben Jahrhundert, in einem anderen Zeitalter, dazu verführte, weiterzumachen. Daß es sonst „die anderen" herausbringen würden – welch schwaches Argument. – Von heute aus gesehen! hast du gesagt. Du bedenkst die Zeit nicht, die sie brauchten, um überhaupt zu verstehen, was sie da entdeckt hatten. Du glaubst doch nicht, die haben sich zusammengesetzt und den Beschluß gefaßt: Jetzt erfinden wir mal die Uranspaltung! Oder gar: die Atombombe! – Später haben sie diesen Beschluß gefaßt, sagte ich. – Später war Krieg, antwortetest du. – Eben! sagte ich, und du sagtest, ich solle mich nicht überheben. Ich solle lieber an mich selber denken. Ob ich denn innehalten könnte. Ob ich nicht mal zu ihm gesagt habe, Worte könnten treffen, sogar zerstören wie Projektile; ob ich denn immer abzuwägen wisse – immer bereit sei, abzuwägen –, wann meine Worte verletzend, vielleicht zerstörend würden? Vor welchem Grad von Zerstörung ich zurückschrecken würde? Nicht mehr sagen, was ich sagen könnte? Lieber in Schweigen verfallen?

Das war der Drehpunkt des Tages.

Nach einer Zeitspanne, an die ich mich nicht erinnern kann, habe ich mich in der Küche wiedergefunden, unsinnigerweise Geschirr aus der Abwaschschüssel in den Schrank räumend. Auf einmal habe ich mir zugesehen, wie ich eine der Keramiktassen, aus denen wir gerne Tee trinken, wie ein Wurfgeschoß in der Hand wog. Sie dann, zwar hart, doch ohne sie zu zerbrechen, in ihr Fach stellte, nach dem Salatbesteck aus Olivenholz griff und es präzise und mit einem scharf gezielten Wurf in die Ecke schleuderte. Es aufsammelte, wieder mit aller Kraft in die Ecke warf. Und nochmal. Und nochmal. So. Und so. Und so. Euch werde ich es zeigen. Euch habe ich so satt. Satt. Satt.

Mit Genugtuung habe ich mir zugesehen. Die Wut, der Haß in meinem verzerrten Gesicht. Wie

ich das Salatbesteck zum letzten Mal aufhob und
musterte. Ein Zinken der Gabel war angeknickt.
Auch gut. Gleichmütig habe ich das Besteck, das
ich mir in Südfrankreich einmal sorgfältig aus
einem riesigen Korb von Olivenholzbestecken herausgesucht hatte, in den Schub gelegt. Habe mich
auf den Küchenstuhl fallen lassen. An Spaltungs-
symptomen hätte unsereins wohl auch das Seine
vorzuweisen –

      Tränen? – Die Nerven, Bruder, was
immer das sein mag. Bloß die Nerven. Soll doch
diese verfluchte Wolke sich auflösen oder abregnen
oder ich weiß nicht was. Sollen doch deine ver-
dammten Ärzte endlich von dir ablassen. Soll doch
alles wieder so sein, wie es vorher war –

      „Das Zei-
chen für die, die in meinem Namen predigen: Sie
werden Schlangen mit den Händen aufheben, und
wenn sie etwas Tödliches trinken, wird ihnen
nichts geschehen ..."

(So wäre es schon Schuld, Teilhabe an der
Schuld, wenn man sagt, was man zu wissen meint,
und – obwohl es verletzend sein mag – Befriedigung dabei spürt? Weil man es weiß? Weil man es
sagen kann? Und schweigen wäre genauso misera-
bel? In welcher Klemme, lieber Bruder, sitzen wir
da eigentlich alle miteinander?)

   „... und als sie dastanden", hat der Mann im Radio gesagt, „wurde er zusehends aufgehoben, und
eine Wolke nahm ihn vor ihren Augen in den Himmel weg. Unsere Vorstellungen von Raum und
Zeit versagen angesichts der alles umgreifenden
Wirklichkeit Gottes. Dieser Christus ist zum Vater
gegangen. Das heißt, er hat die Herrschaft übernommen. Die Herren der Welt gehen, unser Herr

kommt. Jesus Christus ist der Herr. Er wird wiederkommen. Er wird die Welt vollenden."

Fein, habe ich dem Radio erwidert. Aber so deutlich wäre es ja gar nicht nötig gewesen. Wenn es also von früh auf in uns gelegt ist, daß wir Herrschaft und Unterordnung so dringend brauchen, daß wir sie der Erfindung unserer Götter zugrunde legen müssen; daß wir (habe ich, mein Leben bedenkend, für mich hinzugesetzt), wenn wir es schon fertigbringen, uns von dem Zwang der Götteranbetung loszumachen, dem Zwang der Unterwerfung unter Menschen, Ideen, Idole ausgesetzt sind – wo ist dann, Bruderherz, eigentlich der Fluchtweg (mit weißen Pfeilen auf grünem Grund in den Hotels markiert)? Der Notausgang –

Mann, Bruder, bin ich müde gewesen. Die Ablenkungsmöglichkeiten sind erschöpft gewesen. Ich bin einfach auf dem Küchenstuhl sitzen geblieben und habe getan, was mir am schwersten fällt: warten. Natürlich habe ich nicht wissen können, in welchem der vielen Augenblicke, aus denen eine solche Operation sich zusammensetzt und von denen vermutlich keiner ganz ungefährlich ist, die Entscheidung über deinen Geruchssinn gefallen ist. An der Herstellung von Gerüchen ist – abgesehen natürlich von den Sinneszellen in der Nase, die nicht beschädigt wurden – der olfaktorische Cortex beteiligt. Von den drei Fernsinnen jener in der Nachtnische lebenden Reptilien – Gesicht, Gehör, Geruch – begann der Geruch an Bedeutung zu verlieren, als sich mit dem Aussterben der Reptilien die Säuger ausbreiteten und zu landlebenden Tagtieren wurden. Da die Evolution – anders als zum Beispiel die Technik – das einmal

57

durch Selektion Geschaffene nicht vernichtet, sondern weiterverwendet, hat sie uns, als eines unserer drei Gehirne, das Gehirn von Schlange und Krokodil belassen. Die rituellen und hierarchischen Aspekte unseres Lebens seien stark von diesem R-Komplex beeinflußt, der in gewisser Weise noch Dinosaurier-Funktionen in unserem Gehirn erfüllen soll: aggressives Verhalten, Revierverhalten, die Entwicklung sozialer Rangordnungen seien von ihm mitgesteuert ... Später in der Evolution, wenn die geschlossenen Gruppen auftreten, wird der Geruch als Unterscheidungsmerkmal dringend benötigt. (Bienen töten in ihrem Stock jede Fremdbiene, die sie an ihrem Geruch erkennen.) In der menschlichen Population gebe es eine gewisse Anzahl von Individuen, bei denen – von ihren Vorfahren, den Säugern her – der Geruch als Auslöser oder Verstärker sexueller Erregung eine größere Rolle spiele als bei anderen: dies bewirkt nun wieder unser zweites Gehirn, das Säugetier in uns, das limbische System, dessen Bestandteile der olfaktorische Cortex und die Hypophyse sind; mit meinen Gedanken und Benennungen nähere ich mich dem kritischen Punkt, Bruder, was dein Operateur vor sich sieht, muß ich mir anhand der anatomischen Karte des Gehirns verdeutlichen. In jenem sensiblen Bereich sollen die starken Emotionen entstehen, mächtige Leidenschaften und schmerzliche Widersprüche ... Wahrscheinlich hat die Evolution es nicht mehr für nötig gehalten, menschliche Mutanten zu selektieren, die die starke Verklammerung zwischen Geruch und Sexualität aufgegeben hatten ... Dies werden wir also nicht zur Sprache bringen. Der Geruch, Bruder, ist, wenn ich das richtig sehe, einer derjenigen Sinne, die sich auf dem Rückzug befinden. Erst nach Tagen wirst du ihn vermissen, bei dem banalsten Anlaß, wenn dein Rasierwasser geruchlos geworden ist. Durch andere, viel auffälligere Beschwerden wirst du vorher abgelenkt sein. Diejenigen Bahnen deines Neuronennetzes, die darauf gerichtet waren, Gerüche zu bearbeiten, sie in ihre Komponenten zu zerlegen und bestimmte Punkte jenes Wiedererkennungsmusters in deinem Neocortex aufleuchten zu lassen, das dieser dir dann benannte: „Veilchen". Oder: „Gas!" – diese Bahnen liegen bei dir nun brach; der Chirurg wird es sich kaum leisten können, bedauernd die Achseln zu zucken, falls er es bemerkt hat, als er die Verbindung zwischen olfaktorischem System und Neocortex durchtrennte. Die heikleren Aufgaben stehen ihm noch bevor, im Bereich der Hypophyse, wo sein Vorgehen zugleich extrem behutsam und extrem radikal sein muß. (Die Hypophyse als die „Hauptdrüse", die das endokrine System des Menschen beherrscht.) Die irreparablen Folgen jeder Beschädigung des Hypophysengewebes sind ihm bewußt, und bewußt sind ihm die Folgen einer Zaghaftigkeit, welche Tumorzellen im gesunden Umfeld belassen würde –

Ich habe auf einmal gemerkt, daß ich meine Finger ineinandergekrampft hatte, daß ich sie schwer voneinander lösen konnte und daß mir Schultern und Rücken schmerzten. Ich bin aufgesprungen und habe angefangen, Lockerungsübungen zu machen. Eine Melodie ist mir dabei in den Kopf gekommen, zu der sich nach einiger Zeit drei Worte einstellten: „...die ich lange sah..." Ich konnte den ganzen Text nicht finden, weil sich immer wieder eine Frage in den Vordergrund meiner Gedanken schob: Wo ist dein Bruder Abel? – Wer fragt? Wer stellt sich, auf meiner inneren Bühne, dieser Leib- und Lebensfrage? Wer wagt die Gegenfrage: Soll ich meines Bruders Hüter sein?

Wie angewurzelt habe ich mitten in der Küche gestanden, und zum erstenmal habe ich begriffen, daß der zweite, der Gegenfrager, sich nicht verstellt. Nicht die Antwort schon weiß. Nein. Tief erstaunt, überrascht steht er da in der Wüste und fragt: Soll ich meines Bruders Hüter sein? Das wäre neu. Und, falls die Antwort „Ja!" lauten sollte, bestürzend genug. Ob Kain danach einfach weitermachen kann wie davor? Mißgünstig; neidisch; gierig nach der Erstgeburt, das heißt: nach der alleinigen Liebe des Vaters und nach ihrer Verkörperung, dem Besitz –

Es ist ein Uhr mittags. Bruder, was machen sie mit dir.

Das Telefon, keine Sekunde zu früh. Ich höre das wichtigste aller Worte: normal. Ganz normal, hat die Schwester gesagt? Tatsächlich? Wir brauchen uns keine Sorgen mehr zu machen? Die Operation sei gelungen? Ach. Wirklich. Ich wußte es. Du auch? Klar, daß er noch nicht wach ist. Das ist das wenigste, findest du nicht? Es ginge dir, Bruder, den Umständen entsprechend, habe ich gehört. Ich bin bereit gewesen, die Umstände zu segnen.

... war eine Wolke, die ich lange sah
sie war sehr weiß und ungeheuer oben
und als ich aufsah, war sie nimmer da ...

Jetzt mach ich mir was zu essen. Kann Radio hören. In Schweden habe die radioaktive Luftbelastung weiter nachgelassen. Dafür habe die Belastung des Bodens zugenommen.

Aber ich habe erst noch die Freundin anrufen müssen. Ich habe ihr gesagt, was ich eben über meinen Bruder erfahren hatte. Ach, gut, hat sie gesagt. Sehr gut. Er steht dir wohl nahe? – Er ist das genaue Gegenteil von mir, habe ich gesagt. Er steht mir nahe. – Sie hat mich gefragt, was ich jetzt eigentlich mit meinen Saaten machen wolle, und ich habe gesagt: Wenn ich das wüßte! – Werden wir uns wohl zu Experten für Halbwertszeiten entwickeln müssen, hat sie gesagt. Hast du zum Beispiel eine Ahnung, in welchen Halbwertszeiten Caesium zerfällt? Oder Strontium? – Das werden sie uns schon noch mitteilen, habe ich gesagt. Es soll ja Nuklide geben, die benötigen hunderttausend Jahre für ihre verdammte Halbwertszeit. – Da hat sie gesagt: Obszön, findest du nicht? und auf jene irre Weise gelacht, die mich sonst manchmal an ihr irritiert. – Allmählich, habe ich ihr gesagt, finge ich an, sogar ihr Lachen zu verstehen. – Die Realität holt mein Lachen ein, meinst du das? hat sie gefragt, und ich habe gesagt: Ungefähr so. – Nun, hat sie gesagt, können sie doch aber nicht mehr behaupten, daß sie jedes Ding und jedes Problem in den Griff kriegen. Also mag auch dies sein Gutes haben, wie? Da wir uns doch sowieso angewöhnt haben, verkehrtherum zu denken? – Ich habe gesagt, da würde ich nicht so sicher sein. Aus irgendwelchen Gründen stehe der Glaube, daß es für all und jedes eine technische Lösung gibt, immer wieder auf. – Ja, hat sie erwidert. Ob ich übrigens auch an mir beobachte, daß irgend etwas in mir geil sei auf diese bösen Nachrichten jede Stunde? Eine finstere Schadenfreude, gegen uns

61

selbst gerichtet? – Leider verstünde ich das, habe ich gesagt. – Na sieh mal, hat sie gesagt. Da wären wir schon zwei. Also sollten wir die ganze Angelegenheit vielleicht unter dem Gesichtspunkt unserer Mitschuld untersuchen. – Ein bißchen viel verlangt, habe ich gesagt. – Mitverantwortung? hat sie vorgeschlagen. – Du sagst es, habe ich erwidert.

... doch jene Wolke blühte nur Minuten
und als ich aufsah, schwand sie schon im
Wind.

Hoffentlich. Hoffentlich nur Minuten, hab ich da nur denken können, obwohl dies ja ein Lied aus der Zeit ist, da Wolken „weiß" waren und aus Poesie und reinem kondensierten Wasserdampf bestanden. Nun aber, habe ich gedacht, während ich die gekochten Kartoffeln abpellte, durfte man gespannt sein, welcher Dichter es als erster wieder wagen würde, eine weiße Wolke zu besingen. Eine unsichtbare Wolke von ganz anderer Substanz hatte es übernommen, unsere Gefühle – ganz andere Gefühle – auf sich zu ziehen. Und sie hat, habe ich wieder mit dieser finsteren Schadenfreude gedacht, die weiße Wolke der Poesie ins Archiv gestoßen. Sie hat, von heut auf morgen, diesen und beinahe jeden Zauber gebrochen.

Bratkartoffeln. Spiegelei. Grüner Salat. Milch. „Die einfachen Essen sind die besten." Endlich, Lieber, mischt sich deine Stimme auch noch ein. Wir werden einen Tag und eine Nacht brauchen, zu bereden, was wir in dieser Woche erfahren haben. Ich werde dir nicht vorhalten, daß der Zeitpunkt, dich von mir zu entfernen, ungünstig gewesen ist. Wo du jetzt bist, höre ich, sei die Schadstoffimmission nach dem Reaktorunfall konzen-

trierter als hier, wo ich jetzt bin. Soll uns das
empören? Beunruhigen? Sollen wir unsere Gefühle durcheinanderbringen lassen; sollen wir sie,
was schlimmer wäre, als unerheblich unterdrük-
ken? Unerheblich, gemessen an den Werten der
Geigerzähler? Ich weiß, was du sagen willst. Sag
es nicht. Ab morgen, habe ich beschlossen, werde
ich die Milchmenge reduzieren und den grünen
Salat meiden. Heute, habe ich mir vorgenommen,
werde ich noch einmal alles essen und trinken
ohne eine Spur von schlechtem Gewissen. Jene
immer häufiger auftretende innere Instanz in mir
hat, ungebeten, damit begonnen, mir vorzurech-
nen, in welchem Alter mich die Spätfolgen der
Mahlzeiten dieser Tage ereilen werden, falls diese
Mahlzeiten strahlende Substanzen enthalten, deren Halbwertszeiten... Hier hat der stille beharrli-
che Rechner in mir wechselnde Werte eingesetzt,
und ich habe mich auflachen hören, höhnisch.
Dreißig Jahre? Ach, mein Bester! Und damit ge-
denkst du im Ernst, mich zu schrecken? Der Vorteil heutzutage, älter zu sein. Also sag ehrlich:
Möchtest du heute zwanzig sein? Zehn? Die innere
Gebärde des Entsetzens: Nur das nicht! Das hat
meinem intimen Feind als Testergebnis gereicht.
Er hat mich ganz in Ruhe essen lassen, das Geschirr abwaschen. Aus dem Radio habe ich gehört,
daß es dreizehn Uhr fünfundvierzig gewesen ist.
Da habe ich mich dastehen sehen, das Geschirr-
tuch noch in der Hand, und habe mich lauthals singen hören. Das Lied von der Freude. Wir betreten
wonnetrunken, Himmlische, dein Heiligtum.
Was soll das nun wieder bedeuten, habe ich mich
ganz verdutzt selber fragen müssen. Freude!
Freude –

Da ich mir dieses Signal aus sehr tiefen Schichten meines Bewußtseins sonst gar nicht hätte erklären können, habe ich beschlossen, dich, Bruder, später zu fragen, wann du, an jenem Tag, der dann Vergangenheit geworden sein wird, wohl aus der Narkose erwacht bist. Dreizehn Uhr fünfundvierzig? wirst du sagen. Warte mal. Du, das kann durchaus möglich sein. Ja. Das kann hinkommen. Weit weg, ganz verschwommen, habest du das Gesicht des Arztes über dir wahrgenommen, und wahrscheinlich habe er sich die Lunge aus dem Hals geschrien, ehe du seine Frage verstanden hättest: Sehen Sie mich? Können Sie mich sehen! Und wie du ihm bei aller Anstrengung nicht habest antworten können, bis es dir eingefallen sei, die Augen bestätigend zu öffnen und zu schließen. Er sieht! habest du gehört. Ich sehe, wirst du geflüstert haben, sehr heiser noch, weil der Tubus, den man dir der Narkose wegen in die Luftröhre hatte einführen müssen, ein Wundsein der Stimmbänder zurückläßt; die aber werden heilen. Ja, wirst du immer deutlicher sagen können, schließlich so laut, daß ich es am Telefon werde vernehmen können, morgen schon: Ich sehe. Und für Tage wird uns das Wort „Sehen" in seinem ganzen vielfältigen und umfassenden Sinn wieder gegenwärtig sein.

Ein Tag. Ein Tag wie tausend Jahre. Tausend Jahre sind wie ein Tag. Woher wußten es die Alten? Die kleinsten Materieteilchen, losgelassen, zwingen uns, mit den kleinsten Zeitteilchen sorgsamer umzugehen. Jetzt bin ich aber müde, habe ich mich zu mir sagen hören. Jetzt muß ich mich aber unbedingt hinlegen. Ich habe auch nicht mehr hören wollen, daß die ersten Evakuierungen aus den umliegenden Ortschaften um den entgleisten Reaktor schon am Sonnabend mittag begonnen wurden und in wenigen Stunden beendet gewesen sein sollen. Diese Bilder habe ich mir an jenem Mittag nicht auch noch vorstellen wollen. „Evakuierung", Bruder, das ist eins von diesen Wörtern, die wir wohl unser Leben lang nicht von der eigenen Erfahrung werden trennen können. Da sind Bild- und Gefühlsabläufe miteinander verschmolzen in die Gehirnbahnen eingeschliffen. Ich habe dann, als ich endlich lag, mich von der hartnäckigen Vorstellung frei machen wollen, wie du daliegen mochtest, den Kopf verbunden, diese Schläuche an deine Venen angeschlossen. Ich habe mir auch die Schmerzen nicht vorstellen wollen, die einsetzen mußten; deinen Durst. Ich habe deinen geschorenen Kopf vor mir gesehen, da warst du fast noch ein Kind, ein unvergeßliches Bild, in jenem Typhuskrankenhaus der mecklenburgischen Kleinstadt, in dem wir gemeinsam lagen und in dem uns beiden nach dem Typhusfieber die Haare ausgingen.

Ich will jetzt schlafen. Ich will mich ablenken, also lesen. Ich habe mich umgesehen, von meinem Bett aus, und habe gefunden, daß das Buch, das ich an einem Tag wie diesem würde lesen wollen, vermutlich noch nicht geschrieben war. Wer legt, habe ich denken müssen, die Gefahrenzone ausgerechnet in den Umkreis von genau dreißig Kilometern? Warum dreißig? Warum immer diese geraden runden Zahlen? Warum nicht neunundzwanzig? Oder dreiunddreißig? Wäre das ein Eingeständnis, daß unsere Rechnung nicht aufgeht? Daß sich Natur und Unnatur nach unserem Dezimalsystem nicht richten? Außer in dieser unmittelbaren Umgebung bestehe keine ernsthafte Gefahr. Und wer bestimmt, wie lange Menschen dieser ernsthaften Gefahr ausgesetzt werden dürfen? Können? Oder müssen? Wer, Bruder, legt die Gefahrengrenzen fest, in denen wir leben sollen?

Alles, was ich habe denken und empfinden können, ist über den Rand der Prosa hinausgetreten.

So wie unser Gehirn arbeitet, können wir nicht schreiben. Wenn ich angefangen haben sollte, mich mit dem Verlust abzufinden, der auf dem Weg vom Gehirn über die Nervenbahnen zur schreibenden Hand unvermeidlich zu sein scheint – an jenem Mittag trat er wieder scharf in mein Bewußtsein. Verlust an Unmittelbarkeit, Fülle, Genauigkeit, Schärfe und an einer Reihe von Qualitäten, die ich nicht benennen kann, vielleicht nicht einmal ahne. Ich habe mir Umstände vorstellen können, die auch mir diese Art Verlust gleichgültig machen würden, weil sie geringfügig erscheinen werden, gemessen an den Opfern, die uns dann abverlangt werden könnten.

Ich habe mir gewünscht, mein Vorstellungsvermögen abstellen zu können. Diejenigen, die die Gefahren über uns und sich heraufbeschwören, habe ich gedacht, müssen diese Fähigkeit doch besitzen. Oder brauchen sie nichts abzustellen; haben sie, anstelle jener Ahnungen, die uns andere verfolgen, in ihrem Gehirn einen blinden Fleck? Er mag nicht lokalisierbar sein, wie etwa die Zentren für Appetit, Gleichgewicht, Temperaturregelung, Blutkreislauf, Atmung. Man könnte ihn, jenen blinden Fleck, also auch nicht durch elektrische Reize stimulieren, wie ein gewisser Neurologe namens Penfield Erinnerungsspuren in den Gehirnrinden seiner Patienten aktivierte, indem er Strom durch sie leitete. Töne. Farben. Einen Geruch aus der Vergangenheit. Eine Orchesterkomposition mit allen ihren Feinheiten ... So könnte man also, habe ich zu meiner Beklemmung denken müssen (gelehrig sind wir ja, Bruder!), menschliche Wesen eine gewisse Zeit lang – zwanzig Jahre? Fünfundzwanzig? – ein normales, ja, ein besonders reiches menschliches Leben führen lassen, mit dem Ziel, ihren Erinnerungsspeicher „bis an den Rand" zu füllen. Danach würden· diese Wesen der ihnen eigentlich zugedachten Bestimmung zugeführt oder ausgesetzt: einem öden Dasein in irgendeiner Apparatur, einer unterirdischen Raketenstation, einem Weltraumschiff. Und ein Spezialist würde sie in den ihnen bekömmlichen Intervallen an den Erinnerungsstrom hängen. Liebe. Feindschaft. Erfolg. Versagen. Zärtlichkeit. Konflikte. Naturschönheit – alles würden sie, so intensiv sie können, wieder und wieder durchleben. Der tödlichen Langeweile ihres „wirklichen" Daseins könnten sie nicht zum Opfer fallen. Der Wunsch, lieber zu sterben, als ein solches Leben weiterzuführen, könnte nicht Macht über sie gewinnen. Ihr Gehirn hätte sich hinter ihrem Rücken (wie unangemessen die Sprache wird!) gegen sie zusammengeschlossen mit ihren Manipulatoren. Als Objekte der erbärmlichsten Sorte würden sie –

dieser Art Bruder, wären die Phantasien, die ich mir strikt verbieten würde, wenn ich die Mittel hätte, sie in die Tat umzusetzen. Ich dürfte sie nicht einmal· aussprechen, kaum denken? In unserem Jahrhundert sei nur ein hauchdünnes Wändchen zwischen einer gedachten technischen Phantasie und ihrer Verwirklichung?

Doch aus diesem Stoff sind die Sünden nicht, die wir uns, die ich mir vorzuwerfen hätte. Nicht zuviel – zuwenig haben wir gesagt, und das Wenige zu zaghaft und zu spät. Und warum? Aus banalen Gründen. Aus Unsicherheit. Aus Angst. Aus Mangel an Hoffnung. Und, so merkwürdig die Behauptung ist: auch aus Hoffnung. Trügerische Hoffnung, welche das gleiche Ergebnis zeitigt wie lähmende Verzweiflung.

Die Verbindung zwischen Töten und Erfinden habe uns seit den Zeiten des Ackerbaus nie verlassen, lese ich. Kain, der Ackerbauer und Erfinder? Der Gründer der Zivilisation? Es sei schwer, die Hypothese zu widerlegen, daß der Mensch selbst, durch Kampf gegen seinesgleichen, durch Ausrottung unterlegener Gruppen, das wichtigste Werkzeug der Selektion war, die eine rasche Weiterentwicklung der Gehirne bewirkte? Jene Mutanten, deren Aggressionen sich ungehemmt gegen Artgenossen richteten (bei den meisten Tierarten als ungünstig selektiert), führen beim „König der Tiere" – durch seine Intelligenz anderen Feinden relativ überlegen – zur weiteren Evolution? Tötung innerhalb der eigenen Art zur Vermeidung von Überpopulation? Begrenzte Tötung biologisch tragbar? So wurde der Mensch sich selbst zum Feind?

Das Buch habe ich beiseite gelegt, nach einem anderen gegriffen, der Nummer einer Zeitschrift. Darin ein Artikel, den jemand mir zu lesen empfohlen hat, nicht ohne mir gleichzeitig Angst davor zu machen. Ein Jemand, der jetzt nicht einmal hier ist, wohin er gerade heute gehörte; der sich stattdessen in entfernten Gegenden der dort zufällig – angeblich! – stärkeren Strahlung aussetzt, ein Beweis mehr, daß man auch kurzfristige Trennungen heutzutage tunlichst vermeiden soll. Auf den ich also wütend geworden bin, den ich aber trotzdem nicht habe anrufen wollen, damit meine Stimme, die ich nicht so würde verstellen können, daß er ihren Unterton nicht sofort heraushören würde, ihn nicht beunruhigen konnte. (Viermal „nicht" in einem Satz.) Das hatte er nun davon, daß ich also jetzt, ungeschützt und immer noch wütend, allein diesen Artikel lesen würde, in einem Anfall von traurigem Mut oder Masochismus, denn seine Überschrift war schon ermunternd genug, sie lautete: Die Wissenschaftler von „Star Wars". Die Angst vor dem Artikel hat sich sehr schnell als berechtigt erwiesen, allerdings hat sie sich dann übertragen auf jene sehr jungen Wissenschaftler, von denen er handelte und die er, in ihrer Heimatsprache, „starwarriors" nannte. Ein Wort, das in mir ein Signal auslöste, welches ich noch ignorieren konnte. Höchstbegabte sehr junge Männer, die sich – getrieben, fürchte ich, von der Hyperaktivität bestimmter Zentren ihres Gehirns – nicht dem Teufel verschrieben haben (ach, Bruder! Der gute alte Teufel! Gäbe es ihn noch!), sondern der Faszination durch ein technisches Problem. Erst allmählich, wie ich mir, der Beschreibung folgend, ein Bild von ihrem Leben habe machen können, ist mir aufgegangen, daß meine Phantasien, die ich mir vorhin verboten hatte, schon längst von der Wirklichkeit überholt worden waren: Dies waren ja Menschen auf einer Isolierstation, ohne Frauen, ohne Kinder, ohne Freunde, ohne andere Vergnügungen als ihre Arbeit, strengsten Sicherheits- und Geheimhaltungsvorschriften unterworfen; sie aber brauchten kein Ersatz-Leben durch elektrisch erzeugte Erinnerung. Wie naiv ich immer noch war! Alles, was sie offenbar brauchten, war eine Pseudo-Bindung, die ihr Gefühlsleben absorbierte. Aber bittesehr, kein Problem, no problem. Wozu gibt es Computer. Wenn sie dort ankommen, in ihrem Sternenkriegslaboratorium Livermore (ich versage mir den Ausdruck „eingeliefert werden"), dann ist es wahrscheinlich schon um sie geschehen. Sie kennen, habe ich gelesen, nicht Vater noch Mutter. Nicht Bruder noch Schwester. Nicht Frau noch Kind (es gibt dort keine Frauen, Bruderherz! Ist diese beklemmende Tatsache Grund für die Computerliebe der jungen Leute? Oder ihre Folge?). Was sie kennen, diese halben Kinder mit den hochtrainierten Gehirnen, mit ihrer ruhelosen, Tag und Nacht fieberhaft arbeitenden linken Gehirnhälfte – was sie kennen, ist ihre Maschine. Ihr lieber geliebter Computer. An den sie gebunden, gefesselt sind, wie nur je ein Sklave an seine Galeere. Ernährung: Erdnußbutterbrote. Hamburgers mit Tomatenketchup. Cola aus dem Kühlschrank. Was sie kennen, ist das Ziel, den atomgetriebenen Röntgenlaser zu konstruieren, das Kernstück jener Phantasie von einem total sicheren Amerika durch die Verlegung künftiger Atomwaffenschlachten in den Weltraum. – (Was sind sie: legitime Nachfahren des von „der Wahrheit" besessenen Wissenschaftlers, ein Mythos, der uns allen vertraut ist? Oder seine illegitimen Abkömmlinge, die sich zu Unrecht auf ihn berufen? Soll denn Besessenheit ein Makel sein? Das „gewöhnliche Leben" ein Wert an sich?) Das Signal in mir ist lauter geworden, ich habe das Heft sinken lassen müssen. Woher kam mir das Gefühl, daß ich das kenne, wovon hier die Rede war? Starwarriors.

Star wars. Krieg der Sterne ... Natürlich! Einmal, vor beinahe genau drei Jahren, haben wir in einem überfüllten Kinosaal gesessen, wenige Meilen entfernt von jenem Livermore National Laboratory, an der Westküste der USA, in Berkeley, Kalifornien, und haben, zuerst mit verlegenem Staunen, dann mit wachsender Beklemmung, den zweiten Teil der „Star Wars"-Filmproduktion gesehen, dessen Titel mir gleich einfallen würde, ich mußte nur nicht zu scharf daran denken. Ich mußte nur zuerst an die junge schwarze Frau denken, die genau hinter mir saß und, wie der ganze Saal, fanatisch Anteil nahm an den Weltraumschlachten der guten, weißen Sternenkrieger gegen die bösen, schwarzen. Ich habe es immer noch hören können, wie sie, die junge Schwarze, an einem Höhepunkt der Handlung mit schriller Stimme schrie: Kill him! Kill him!, und mir ist eingefallen: Die Waffen, die da benutzt wurden, waren allerdings Strahlenwaffen, und ich habe mir vorgestellt, daß der Regisseur dieser beiden Filme, der natürlich unglaublich reich daran geworden ist („The Return of the Jedi", ja, so hatte unser Film geheißen), sich mit den Starwarriors in Livermore beraten hatte; oder diese mit den Filmleuten. Und alle zusammen mit den Politikern ... Und ich habe begriffen: Nicht das Phantom „Sicherheit" – nein: der Sog des Todes ist es, die Machbarkeit des Nichts, die einige der besten Gehirne Amerikas da zusammentreibt.

Der Faust jenes Berichts, zu dem ich, wie unter Zwang, wieder zurückgekehrt bin, hieß also Peter Hagelstein, nicht Frankenstein. Das Gretchen: Josie – Josephine Stein. Peter ist Läufer, Schwimmer, spielt Klavier und Flöte, liebt die französische

71

Literatur, leidet an Schlaflosigkeit und Depressionen und kommt mit dem Alltag nicht zurecht. Er arbeitet vierzehn, fünfzehn Stunden am Tag, „sieben Tage die Woche". Sein Ziel, sich mit der Erfindung eines Röntgenlasers für wissenschaftliche Zwecke den Nobelpreis zu holen, wird in Livermore umgelenkt. Bomben sind Hagelstein-Faust eigentlich verhaßt. Josie-Gretchen unterstützt diesen Haß entschieden. Sie fängt an, sich Demonstranten anzuschließen, die vor den Toren von Livermore auftauchen. Hagelstein-Faust läßt sich, in einem Zustand von Übermüdung und Unkontrolliertheit, eine seiner genialen Ideen entschlüpfen: mit einer einzigen Bombe zwei verschiedene Vorrichtungen zur Erzeugung eines Röntgenlasers anzutreiben. Dann bringen sie ihn dazu, durch politischen Druck, eine genaue Berechnung durchzuführen. Was er eigentlich nicht will. Josie protestiert. Dann trennt sie sich von Peter. Sein Experiment, das sich denen anderer als überlegen erweist, hat schon 1980 stattgefunden. Und 1983 haben wir Ahnungslose in jenem Kinosaal gesessen.

Ein Faust, der nicht Wissen, sondern Ruhm gewinnen will. Ein Gretchen, das, anstatt an ihm zugrunde zu gehen, ihn erlösen will ... Über die neue Faust-Gretchen-Variante würde ich später nachdenken. Ich habe, wie schon früher bei manchen Gelegenheiten, ein Kältegefühl in mir gespürt, das die Tendenz hat, sich auszubreiten. Ich weiß kein Mittel gegen Leute, die insgeheim todessüchtig sind. Die Ratten. Wieder das Bild jener Ratten, denen man beigebracht hat, ihr Lustzentrum durch Druck auf eine Taste zu stimulieren. Sie hängen an der Taste. Drücken, drücken, drücken. Auf die

Gefahr hin, zu verhungern, zu verdursten, auszusterben.

An welchem Kreuzweg ist womöglich die Evolution bei uns Menschen fehlgelaufen, daß wir Lustbefriedigung an Zerstörungsdrang gekoppelt haben. Oder, anders gefragt, welche Angst schottet jene jungen Männer so zuverlässig ab gegen das, was wir normalen Leute „Leben" nennen. Eine Angst, die so immens sein muß, daß sie lieber das Atom „befreien" als sich selbst ... Mein Schlaf hat unruhig an der Frage weitergearbeitet, wo meine eigene Verantwortlichkeit liege, den blinden Fleck umkreisend, den meine Wörter, so sehr sie sich anstrengen mögen, nicht kennen wollen. Nicht kennen dürfen –

Du hast, Bruder, in deinem ersten Schlaf nach der Operation geträumt, daß du fällst, fällst, fällst – von hoch oben, scheinbar unaufhaltsam. Und daß du dann noch nicht, wie angstvoll erwartet, beim Aufprall zerschmetterst, sondern weich in einem riesigen Heuhaufen landest. So hat sich von unseren frühen Vorfahren her, den Primaten, die auf Bäumen lebten, die Angst vor dem Fallen fest in uns eingeschrieben. Es ist unsere früheste Kinderangst, Bruder, die Angst überhaupt, und daß sie an jenem Tag in dir wieder freikam, ist ja nicht schwer zu verstehen. Ich dagegen bin im Traum mit unseren Großeltern zusammengewesen, in einem engen Zimmer, in dem fast nur alte Holzbetten standen, und ich habe neben unserer Großmutter Marie auf einer Bettkante gesessen und ihr den Arm um die Schulter gelegt, weil ihr Mann, unser Großvater Gottlieb, gerade gestorben sein sollte, aber sie schien nicht sehr traurig zu sein (ist ja „in Wirklichkeit" vor ihm gestorben),

73

und auf irgendeine Weise war dieser gestorbene Großvater auch wieder anwesend, und die anderen beiden Großeltern saßen uns gegenüber, und wir sprachen davon, wie hoch die Rente von Großvater Gottlieb zuletzt gewesen sein mag, und Großmutter Marie sagte still: die Höchstrente, hundertdreißig Mark. Ich wurde sehr traurig, aber die Atmosphäre im Zimmer war friedvoll, vertraulich, obwohl die beiden Großelternpaare sich im Leben gar nicht so nahe gestanden hatten, und ich wußte mich geborgen bei ihnen, behütet und beschützt, und ich hatte auch das Gefühl, daß sie mir ein Wissen vermitteln wollten, und im Erwachen habe ich gedacht: Sie wollten mir sagen, daß wir alle sterben müssen und daß wir das annehmen können. Für eine sehr kurze Zeit habe ich da verstanden, daß unser Leben auf solche einfachen Wahrheiten zuläuft, und ich habe Dankbarkeit für meine Großeltern empfunden, und für alle die Voreltern, die sich vor mir und vor ihnen durch das Leben geplagt haben, aber dieses Gefühl ist sehr schnell geschwunden, ich habe mir meinen Nachmittagskaffee gemacht, ihn getrunken, habe erfahren, daß bisher nicht mehr als zwei Tote durch die Reaktorkatastrophe zu beklagen seien, ich habe die Stimmen gehört, die diese Zahl beinahe höhnisch bezweifelten, und die anderen, die sie für realistisch halten wollten.

Mir ist es plötzlich unaufschiebbar vorgekommen, endlich die japanischen Friedensblumen aus den Töpfen, in denen ich sie überwintern ließ, aufs Beet auszupflanzen. Nachtfröste würden doch wohl nicht mehr zu erwarten sein; gleichzeitig mit den Samen war mir im vorigen Jahr die Anweisung zuteil geworden, die Pflänzchen müßten abgehärtet werden und würden sich dann auch in unserem Klima behaupten. Ein japanischer Soldat habe diese Blume aus dem japanischen Krieg gegen Burma mit nach Hause gebracht, als Friedenszeichen habe er sie angepflanzt, inzwischen sei sie über ganz Japan verbreitet; man wünsche sich, daß sie auch in Europa heimisch werde. Sorgfältig habe ich die Sämlinge auf einen freien Fleck·im Blumenbeet gepflanzt, meine Verantwortung für diese Versuchspflänzchen ist mir bewußt gewesen. (Nur eine von ihnen hat bis in diesen kalten Herbst hinein überdauert. Aus ihren Samen versuche ich, in Töpfen Nachkommen zu ziehen, die ihrerseits in geschützter Umgebung überwintern könnten. Eine Tätigkeit, die keine Rechtfertigung braucht) –

wie es sich, so will ich doch hoffen, von selbst versteht, daß in irgendwelchen Tiefen deines Körpers, Bruder, jetzt unausgesetzt Heilkräfte produziert und denjenigen Regionen zugeleitet werden, die sie am meisten benötigen. Das muß nicht nur der Kopf sein, nicht nur die Wunde, die wahrscheinlich jetzt schon pulsierend zu schmerzen beginnt. Ich glaube nicht, daß du schon denkst. Jenes Zentrum, in dem Denken und Sprache aneinander gekoppelt sind, wird noch im Dämmer liegen. Die Zentren der Lautbildung, die sich bei den subhumanen Primaten vorwiegend im zentralen Höhlengrau des Mittelhirns verbergen –

Ich habe plötzlich einen starken Bewegungsdrang gespürt, bin wieder zum Stall, habe das Fahrrad herausgeholt, habe, obwohl untrainiert, fest antretend die kleine Steigung bis zum Transformatorenhäuschen überwunden, Herzklopfen, erhöhten Puls mit Befriedigung wahrgenommen und bin dann in Schußfahrt auf der schmalen Teerstraße Richtung Nachbardorf losgeprescht. Rechts und links, habe ich gesehen, so weit das Auge reicht, würde dieses Jahr Getreide stehen, ich würde mich nicht satt sehen können an den Farbschattierungen des reifen Korns, dieser Tag, den ich nicht nur hinter mich bringen, den ich Stunde für Stunde durchleben mußte, würde Erinnerung sein. Im Nebenort habe ich nur Kinder auf der Straße getroffen, sie riefen mir etwas nach, ich drehte mich nicht um, selten kommt ein Fremder auf dem Fahrrad durch dieses abgelegene Dorf. Im gleichen Augenblick, da ich das Ortsausgangsschild überfuhr, ist unmittelbar über mir, so ist es mir vorgekommen, der erste Düsenjäger durch die Schallmauer gestoßen; da ich nicht imstande bin, mich daran zu gewöhnen, bin ich wieder bis in mein Innerstes erschrocken, bin geduckt und so schnell wie möglich weitergefahren, um den Schutz des Waldes zu erreichen, während die Düsenjägereinheit von dem unweit gelegenen neuen Flugplatz ihr Übungsprogramm absolvierte. Ich habe mich längst damit abgefunden, daß von den letzten Kriegstagen her die Angst vor Flugzeugen, die mit Maschinengewehrgarben direkt auf mich herunterstoßen, mich nie verlassen wird, schweißnaß habe ich den Waldrand erreicht, bin rechts von der Straße abgebogen und auf dem holprigen schmalen Pfad, der meine ganze Aufmerksamkeit erfordert hat, bis zu jener Stelle gefahren, neben der rechterhand unser Steintanz liegt. Das Rad habe ich neben den Weg gelegt und bin die dreißig, vierzig Meter über den federnden Waldboden gegangen. Da standen die Steine. Neun urtümli-

che, hochkantig aufgerichtete Feldsteine in einem
regelmäßigen Kreis, unter alten Buchen – später,
im Hochsommer, bei voll entwickeltem Laub, in
einer grünen Dämmerung; jetzt, da die Buchen
erst beginnen, ihr Grün herauszutreiben, in einem
mir ungewohnten, nur leicht gefilterten Licht.
Warum wir immer wieder hierher zurückkehren,
uns an den Rand oder in die Mitte des Kreises stellen, den die Steine markieren, das ist uns bewußt:
Wir suchen das Geheimnis. Selbst wenn diese
Steine nicht in grauer Vorzeit hier aufgestellt wurden („... im zentralen Höhlengrau des Mittelhirns
verbergen ..."), sondern in späteren Jahrhunder-
ten – wir wollen das nicht wissen. Wir wollen uns
vorstellen, daß sehr frühe Vorfahren genau diese
Steine und ihre Aufstellung zu einem Muster genau an dieser Stelle gebraucht haben, um ihre Zeremonien zu vollziehen – blutige? unblutige? –,
mit deren Hilfe sie sich in ihrer Überzeugung von
der Überlegenheit, ja Allgemeingültigkeit ihrer
Wesensart befestigten. Angesichts unserer eigenen
Abgrenzungs-Zeremonien und -Bauwerke haben
wir aufgehört, das „wild" zu nennen. Die Gehirne
jener Stammesglieder, die hier getanzt, geforscht,
geopfert haben mögen, waren nicht primitiver als
die unseren. Den Übergang zum homo sapiens
stellt sich heutzutage niemand mehr als „Sprung"
vor. Etwa hunderttausend Jahre lang stand die
Größe des Gehirns in einem ungeheuren Mißver-
hältnis zu der Leistung, die ihm abverlangt wurde.
Bedrängt von ihrem überentwickelten, überaus
aktiven Nervensystem haben diese Frühmen-
schen, ausgestoßen aus dem Tierreich, diese Be-
drängung in einen Vorteil umwandeln müssen:
den Zwang, sich zu Menschen zu schaffen. „Drö-

gen Krog" nennen die Leute aus der Umgebung heute diesen Flecken, eine Überlieferung aus der Zeit der Fuhrleute, die auf der nahe vorbeiführenden alten norddeutschen Salzstraße nach Polen unterwegs waren und hier Rast machten: eine trockene Rast, in diesem Krug wurde nicht ausgeschenkt –

Das Wuchern des Gehirns könnte durch eine lange Periode der Vorgeschichte hindurch ebensosehr Hindernis wie Hilfe für die Vorfahren des homo sapiens gewesen sein. Jene Steine, Bruder, jene Tänze und Zeremonien haben ihnen geholfen, einen kulturellen Apparat zu entwickeln, Formen, in die sie ihr Menschsein fassen konnten. Wir sagen: Sitte –

Ganz still ist es beim Steintanz gewesen, ich habe lange dort gestanden, an den größten der Steine gelehnt, und mich den Bildern überlassen, die mich hier überkommen. Der Wald hat stark nach Frühling gerochen. Du weißt, daß man Gerüche nicht beschreiben kann. Es muß ungefähr der Zeitpunkt gewesen sein, da der Chefarzt zu dir ans Bett gekommen ist und, da er dich wach sah, über den Verlauf der Operation zu dir sprach, was du aber, unfähig, dich zu konzentrieren, noch nicht aufnehmen konntest. Auf seine wiederholte eindringliche Frage: Sie sehen mich doch? hast du diesmal ein deutliches, wenn auch heiseres „Ja!" herausgebracht, was ihn ungemein zu befriedigen, ja, zu erleichtern schien; dich wiederum hat seine Aussage beruhigt, die er so oft wiederholte, bis sie in deinen träge und widerwillig arbeitenden Informationsapparat Eingang fand: Nach menschlichem Ermessen haben wir alles, was von Übel war, entfernt.

Ich kann nur hoffen, daß der Duft des Waldes im Frühling fest in deiner Erinnerung verankert ist. *Was macht mein Kind / was macht mein Reh ...* Ich bin noch ein Stück durch den Wald gegangen und habe nach Anzeichen von Krankheiten an den Bäumen gesucht, aber keine entdecken können. Daß wir nur die Wahl haben sollen, mit der Radioaktivität oder mit dem Waldsterben zu leben, hat mich, als wir einmal darüber sprachen, zu übersteigerten, wie du fandest: zu überspitzten Äußerungen verführt. Äußerungen über die falschen Alternativen, zwischen die wir gestellt sind. Dann – habe ich dich reden hören – dann müsse ich auch bereit sein, meine Ansprüche an Komfort zurückzunehmen. *Was macht mein Kind / was macht mein Reh / nun komm ich noch zweimal und dann nimmermehr.* Ist es denn wahr: Haben uns unsere eigenen Wünsche an diesen Punkt gebracht? Hat unser übergroßer unbeschäftigter Gehirnteil sich in eine manisch-destruktive Hyperaktivität geflüchtet und, schneller und schneller, schließlich – heute – in rasender Geschwindigkeit immer neue Phantasien herausgeschleudert, die wir, unfähig, uns zu bremsen, in Wunschziele umgewandelt und unserer Maschinenwelt als Produktionsaufgaben übertragen haben?

Zurück ist es sich schwerer gefahren, gegen den Wind, der am Nachmittag aufgekommen war. Linkerhand habe ich am Waldrand nun auch das Rudel Rehe äsen sehen, in der Getreidesaat. *Was macht mein Kind / was macht mein Reh / nun komm ich noch diesmal und dann nimmermehr.* Endlich hat mein Gedächtnis herausgefunden, wo dieser Spruch vorkommt, wer ihn sagt und wie diese ganze Erinnerung mit dem Grundmuster dieses Tages zusammenhing. Ich habe auflachen müssen. Brüderchen und Schwesterchen. Dies Märchen hat uns als Kinder in abgrundtiefe Traurigkeit versetzt, und doch mußten wir immer wieder zu ihm zurückkehren. Immer wieder sind wir, verstoßen von der bösen Stiefmutter, in die Wildnis hinausgegangen, Hand in Hand, und die Brunnen, aus denen du trinken wolltest: *Schwesterchen, mich dürstet. Wenn ich ein Brünnlein wüßte, ich ging und tränk einmal. Ich mein ich hört eins rauschen ...,* die Brunnen warnten uns mit ihren raunenden Stimmen, die ich dir übersetzte: Brüderchen, trink nicht. Sonst wirst du ein wildes Tier und wirst mich zerreißen. Da hat meine herzzerreißende Trauer immer angefangen, und oft und oft habe ich versucht, dir deinen Durst auszureden, aber wir wußten ja beide, wie das Märchen ging, und wir konnten nichts daran ändern. Du wurdest ganz wild vor Durst und betteltest so lange um einen Schluck Wasser, bis ich dir erlauben mußte, unter Jammern und Wehklagen, aus dem letzten Brunnen zu trinken. Es war der Wasserhahn in unserer Küche, und nun wurdest du, wie uns angedroht worden war, ein Reh, was ja schlimm genug, aber immer noch besser war, als wärest du ein Tiger oder Wolf geworden und hättest mich in Stücke gerissen. Ich legte dir märchengerecht ein Band um den Hals und führte dich als Reh durch unsere ganze Wohnung, die ein dichter, undurchdringlicher Wald war, und wir fürchteten uns entsetzlich, bis wir unter dem Tisch das Obdach gefunden hatten, in dem wir beide zusammen friedlich leben wollten, Brüderchen und Schwesterchen. Es war ein Verhängnis, daß man entweder verdursten oder sich in ein wildes

Tier verwandeln sollte, und ich habe dir, Brüderchen, oft und oft vorgehalten, daß ich, Schwesterchen, mich doch auch bezähmen konnte; daß ich, obwohl so durstig wie du, doch auch nicht unbedingt trinken mußte. Du aber mußtest unbedingt trinken, und du mußtest, trotz meiner Tränen und Bitten, in den Wald hinaus, als die Jagd vorbeikam, und so bist auch du es gewesen, der den fremden Königssohn bis an unseren Unterschlupf geführt hat, den ich doch gar nicht zum Mann wollte, denn ich wollte nur dich, Brüderchen, und sei es als Reh, und nachts lagen wir wach und fragten uns flüsternd, ob es denn menschenmöglich sei, daß auch unsere Mutter in Wirklichkeit eine Stiefmutter sei, und wir schworen uns, uns nie, niemals trennen zu lassen, aber eines Nachts fragtest du mich, ob ich nicht etwa die falsche Schwester sei, die die böse neidische Stiefmutter dem König untergeschoben hatte, ohne daß er oder irgendeiner etwas davon merkte, und da mußte ich zur stärksten Formel greifen, die wir kannten und die wir für die allerdringendsten Notfälle aufhoben: Tot umfallen will ich, wenn ich nicht die richtige Schwester bin. Darauf schwiegst du ein Weilchen, Brüderchen, und fragtest dann vorsichtig: Bist du tot umgefallen?, und ich sagte, Trauer, Trauer im Herzen: Nein. – Da war nun bewiesen, was eines Beweises nie hätte bedürfen sollen. *Was macht mein Kind / was macht mein Reh ...* Ach, diese frühe Anfälligkeit für den traurigen Vers. Diese frühe Angst vor der schlimmen Kehrseite unserer Natur, von der wir uns nie anders als durch Mord und Totschlag befreien konnten. Die falsche Schwester ward in den Wald geführt, wo sie die wilden Tiere zerrissen; die Hexe aber ward ins Feuer gelegt und mußte jammervoll verbrennen. Und wie sie zu Asche verbrannt war, verwandelte sich das Rehkälbchen und erhielt seine menschliche Gestalt wieder. Schwesterchen und Brüderchen aber lebten glücklich zusammen bis an ihr Ende.

Der Tag ist makellos geblieben bis zu seiner letzten Minute. Als ich, nun doch das Rad schiebend, weil ich die Steigung nicht fahrend überwinden konnte, beim Transformatorenhäuschen wieder ins Dorf gekommen bin, ist die Sonne noch zwei Handbreit über dem Horizont gestanden, alle Umrisse sind zum Abend hin deutlicher, die Farben noch kräftiger geworden. Ehe man nicht hier gewesen ist, kann man nicht wissen, welche Schattierungen von Grün es gibt. Vor den Dorfhäusern haben links und rechts, jede einzeln für sich, die übriggebliebenen alten Frauen gesessen, die gichtigen Hände im Schoß verschränkt, den Kopf gesenkt, einen Punkt vor sich auf dem Boden fixierend. Sie haben meinen Gruß kaum erwidert. Wird das Dorf in einigen Jahren leer sein?

Als ich zwischen den zwei mächtigen Linden auf unser Grundstück gefahren bin, habe ich ein kleines Grüppchen von Leuten auf der Wiese vor dem Haus stehen sehen. Im Näherkommen habe ich erkannt, daß es sich um eine Familie handelte, Mann, Frau, fast erwachsene Tochter. An der Art und Weise, wie sie sich jetzt umsahen, sich dann in Richtung auf den Garten in Bewegung setzten, habe ich gemerkt, daß sie etwas suchten und habe ein Mißfallen an ihrer Anwesenheit unterdrücken müssen. Ich habe mein Rad an die Stallwand gelehnt und bin über die Wiese ihnen nachgegangen. Ob sie etwas Bestimmtes wollten, habe ich sie ge-

fragt, wie erschrocken drehten sie sich um, leicht
verlegen hat der Mann – ich habe ihn auf fünfzig
geschätzt – mir erklärt, er habe damals, fünfundvierzig, mit seiner Mutter und seinen Geschwi-
stern als Flüchtling in einem Zimmer dieses Hauses gewohnt. Ja: Dieses Haus müsse es gewesen
sein, hat er, als könnte ich es ihm bestätigen, halb
fragend wiederholt: diese Lage, leicht erhöht. Die
Linden. Die Steintreppe mit der Einfassung links
und rechts, die zu einer Veranda führe ... Und das
Dorf, da sei er sich ganz sicher, das Dorf war es
auch. Er sei ja damals ein Kind gewesen, aber gewisse Dinge hätten sich ihm doch unauslöschlich
eingeprägt, und da sie nicht so weit weg an der
Küste wohnten, hätten sie sich endlich einmal auf-
gemacht, um der Tochter dies alles zu zeigen.
Offengestanden habe er aber noch einen anderen Grund gehabt, hierherzukommen. Er glaube
nämlich, daß auf diesem Grundstück damals seine
kleine Schwester begraben worden sei, als sie an
Typhus gestorben war. Typhus hätten sie ja alle
damals gehabt. – Ja, habe ich gesagt, das stimmt.
Das weiß ich. Aber obwohl jeder, der sich auf den
Typhus des ersten Nachkriegsjahres beruft, bei
mir auf Verständnis rechnen kann, habe ich doch
einen Unmut gegen diesen Mann gespürt. Was gab
ihm das Recht, die Gebeine seiner kleinen Schwester hier, auf unserem Grundstück, zu vermuten;
wie kam er dazu, mir das zu sagen. Ich habe absolut nicht wissen wollen, wer hier vielleicht, in eine
Decke gewickelt oder einfach in einen Pappkar-
ton gesteckt, vor vierzig Jahren begraben worden
war, ich habe nicht wissen wollen, daß seine
Schwester Anneliese hieß, daß sie erst drei Jahre
alt war und daß sie einfach nichts für sie zu essen

hatten, ich kenne diese Geschichten, ich bin dabeigewesen, du, Bruder, bist im Typhuskrankenhaus in H., in dem ich vor dir eingeliefert wurde, zum Skelett abgemagert, fast habe ich dich nicht erkannt, als ich endlich die dreißig Schritte den Gang hinunter bis zu deinem Zimmer laufen konnte, nun soll dieser Mann in seinem olivgrünen Mäntelchen mich mit seiner Schwester Anneliese in Ruhe lassen, ich bin hierhergekommen, um ruhig zu schlafen, ich brauche die Beschreibung von verhungernden kleinen Mädchen nicht. Ich habe sie absolut nicht hören wollen. Ich habe den Mann, den plötzlich, anscheinend für ihn selbst unerwartet, die Erinnerung, fast die Rührung überkam, beinahe grob unterbrochen. Ich habe ihm gesagt, der Friedhof liege so nahe, kaum weiter als hundert Meter, daß es mehr als unwahrscheinlich sei, daß ein Kind nicht dort, sondern auf dem Privatgrundstück des Pfarrers beerdigt worden sein solle. Ich habe den Mann unsicher gemacht. Wenn Sie meinen, hat er gesagt, und ob es denn noch einen Pfarrer gebe, den man vielleicht fragen könnte. Nein, habe ich gesagt, die Kirche sei zwar ein Baudenkmal, aber kein arbeitendes Gotteshaus mehr, der Pfarrer sei blutjung und wohne in einem Nachbardorf, kaum jemand werde ihm etwas über die Zeit von Fünfundvierzig sagen können. Ich habe gedacht, wenn ihm schon an seiner Schwester lag, hätte er keine vierzig Jahre warten müssen, gleichzeitig habe ich verstanden, daß im Leben dieses Mannes eine Art Lücke eingetreten sein konnte, in der plötzlich das Gesicht und die kleine Gestalt der verhungerten Schwester wieder auftauchte. Aber ich habe ihm da nicht helfen können, und das Grüppchen von drei Leuten ist dann zu meiner Erleichterung in Richtung Friedhof davongegangen. Ich habe mich umgedreht und im Gegenlicht, weil die Sonne schon hinter das Dach gerutscht war, das Haus liegen sehen, und sein Gesicht, das mir bis dahin fast immer freundlich erschienen war, hatte sich zur Fratze verzerrt. Da ich es mir abgewöhnt hatte, Augenblicksstimmungen nachzugeben, habe ich mir dieses in Wahrheit gräßliche Gefühl mit einer Überanspannung, mit einer seelischen Erschöpfung erklärt und bin ohne zu zögern ins Haus gegangen. Aber vergessen habe ich diesen Augenblick nicht mehr können, auch wenn ich es schon lange gewußt habe, daß jede Haut reißen und aus den Rissen die Ungeheuer quellen können. Daß das Stützwerk hinter den Fassaden von Zeit zu Zeit zusammenzubrechen pflegt; daß ganze Wegstücke unmittelbar vor uns ins Bodenlose zu versinken lieben.

Leider, habe ich gedacht, während ich angefangen habe, im Haus umherzuwandern, leider ist meine frühe Kindheit darauf angelegt gewesen, mir die Überzeugung einzupflanzen, daß mein eigenes Befinden und der Lauf der Welt in einer wohlwollenden Art miteinander verknüpft sind, und als jene kleine Schwester, die vielleicht doch irgendwo auf dem Grundstück, das ich nun aus den Fenstern des Hauses mit Blicken abgesucht habe, begraben liegt, durch Hunger eine leichte Beute des Typhus wurde, bin ich aus dem Gröbsten schon herausgewesen, die Geschichte war zwar in Stücke gebrochen, ich sah nicht, wie die Enden wieder zusammenzufügen wären, aber, vielleicht weil ich alt genug war, für Kartoffeln und Milch zu arbeiten, traf mein Typhus nicht auf einen entkräfteten Körper und war nicht von der tödlichen Art – auch der deine nicht, Bruder. Wir haben damals und manches Mal vorher und nachher Glück gehabt, und wenn ich auch weiß, daß ein Recht auf Glück sich daraus nicht ableitet, so scheine ich doch davon auszugehen, daß es ein Gewohnheitsrecht auf Glück gibt –

und so habe ich dich nicht belogen, wenn ich dir versicherte, daß ich fest an den glücklichen Ausgang deiner Operation glaubte. Nicht belogen und nicht ganz die Wahrheit gesagt. In einem Punkt aber waren mein leidenschaftlicher Widerspruch, mein Zorn durch und durch echt, nämlich als du anfangen wolltest, deinem Leben nachzusagen, es habe dir alles, was es hätte bringen können, gebracht; nun könnten nur noch Wiederholungen kommen. Da habe ich, zornig und überzeugt, gegen meine eigenen geheimsten Gedanken gewettert –

wie ich jetzt gegen die Frau des Mannes im olivgrünen Mäntelchen wetterte, die im Weggehen gesagt hatte: Wer weiß, was deiner Schwester erspart geblieben ist. Jene Anneliese, die, wennschon auf dem Grundstück, am ehesten unter dem alten Nußbaum liegen müßte, wäre jetzt vierundvierzig Jahre alt gewesen, und ich fing an, ihr ein Leben zu erfinden, während ich zugleich die Stellen im Haus zählte, an denen Energie verbraucht wurde, zu dem Schluß kam, daß es zu viele waren, und Überlegungen anstellte, auf welche Weise wir unseren Stromverbrauch deutlich herabsetzen könnten. Das kleine Radio, das ich unter dem Arm mit mir herumgetragen habe, lief auf Batteriebetrieb. Es hat mir mitgeteilt, während ich auf dem Dachboden von Fenster zu Fenster gegangen bin und die

unvergleichlichen Ausblicke, derer man nie über-
drüssig wird, in mich aufgenommen habe – hat
mir mitgeteilt, daß in Kiew die Mütter oder Groß-
mütter anfingen, mit den Kindern die Stadt zu verlassen, und ich mußte mir vorstellen, daß dies Kinder waren, die, trotz allem, was sie über den Krieg
erfahren haben mochten, der einst, für sie in
grauer Vorzeit, über ihre Stadt gegangen war, wiederum ein Gefühl von Unverletzbarkeit hatten entwickeln können, und daß nun, ohne daß sie es
noch wußten, das Leben einiger von ihnen – in
abergläubischer Furcht hielt ich selbst in Gedanken die Zahl so niedrig wie möglich – durch die
Folgen eines blinden Zufalls gezeichnet werden
würde.

Warum ertragen wir es nicht, dem Zufall ausge-
liefert zu sein. Ich habe mich an meinen Arbeitstisch gesetzt, um endlich die Briefe vom Vormit-
tag zu lesen, darunter den Brief jener Frau, die,
über achtzigjährig, mir mit ihrer ausfahrenden Al-
tersschrift aus London schreibt und die ich so
gerne noch sehen würde – ein Wunsch, den ich in
mir nähre, ohne mich auf die Zweifel allzu tief einzulassen, die sich in mir regen, je länger ihre
Krankheit, die wir beide „Erschöpfung" nennen,
anhält. Altersfurcht? hat sie geschrieben, Furcht
vor dem Nachlassen der Intensität, der Lebens-
freude, der Spannkraft? Aber das seien doch
dumme Faxen. Um wieviel vernünftiger sei es
doch, sich dem Rhythmus von Arbeit, Erschöpfung, Ausruhen zu überlassen und jenen Kräften
in uns zu vertrauen, die von Natur aus auf Erneuerung drängen. Auf Wiedergeburt.

Welch ein Wort. Hörst du es mit, Bruder: Wiedergeburt. Ja, ich habe mich noch ganz gut an die

Zeit erinnern können, da ich selbst derartige Worte gebrauchte und mit ihnen einen Sinn verband. Ein kurzer, scharfer Sehnsuchtsschmerz hat diese ganze Zeit vor mir aufgerissen, zusammen mit dem Abgrund, in dem sie versunken ist. Ich habe begriffen, daß irgendwann – vielleicht nicht auf einmal, vielleicht endgültig erst heute – die Taue gerissen sind, die unser Lebensnetz an gewissen Halterungen befestigt hatten. Taue, die man nicht nur Sicherungen, auch Fesseln nennen konnte. Die vor uns würden für immer von ihnen gehalten und an sie gebunden sein; die nach uns haben die Taue gekappt und sehen sich, losgelöst, frei, zu tun und zu lassen, was ihnen beliebt. Wir würden uns nie mehr auf jene Bindungen verlassen können, sie aber auch, und sei es als Sehnsucht nach ihnen, nie ganz loswerden. Der Zufall, daß sie Jüdin war, schrieb mir meine Londoner Briefpartnerin, habe sie unter Hitler aus Berlin getrieben. Freiwillig hätte sie diesen Entschluß nicht gefaßt: sie, tief verwurzelt in ihrem Arbeits- und Freundeskreis, so begierig auf Nähe, Wärme, Zustimmung. Man stelle sich eine Ärztin, eine Psychologin in fremdem Sprachbereich vor. Es sei auch so gekommen, wie sie es vorausgesehen hatte: Heimisch sei sie nirgends mehr geworden. Doch jeder Augenblick ihres Lebens habe sie seitdem bis an den Rand ihrer Kraft gefordert, alle paar Jahre habe sie einen neuen Arbeitsbereich für sich erfinden müssen. So daß das Unheil, das sie vor mehr als einem halben Jahrhundert ins Exil gestoßen habe, sich im Laufe ihres langen Lebens ganz allmählich für sie in eine glückliche Fügung verwandelt habe.

Sie, habe ich gedacht, sie ganz allein hat das Unheil verwandelt. Mir ist der Gedanke gekommen, ich könnte, auf der Suche nach den Wurzeln unserer Zerstörungslust, auch in ihrem Buch über die menschliche Hand nachsehen, das griffbereit im Regal steht –

Deine Hände, Bruder, weiß ich auswendig, kann sie mir jederzeit vorstellen. Sie werden jetzt magerer und auf eine schwer zu beschreibende Weise älter werden, nehme ich an. Ich glaube zu wissen, wie sie da auf der Decke liegen, das einzige, womit du dich zu erkennen gibst, da der Kopf umwickelt ist, krank, wehrlos, ohnmächtig. Oft und oft haben wir unsere Hände nebeneinander auf ein Stück Papier gelegt, du deine Rechte, ich meine Linke, und haben, ein jeder mit einem Stift in seiner freien Hand, ihren Umriß nachgezogen. An Größe sind deine Hände den meinen allmählich nachgekommen, aber ihre Umrisse sind so verschieden geblieben, daß man keinen Fachmann dazu brauchte, uns unsere unterschiedlichen Charaktere und Neigungen aus der Hand zu lesen –

Die menschliche Hand, habe ich in dem Buch gefunden, entwickle jenes Geflecht hoch bezeichnender Linien, das sie, zum Beispiel, von der Hand des Menschenaffen unterscheide. Wieder habe ich, fasziniert wie beim ersten Mal, die Abbildungen der Affenhände betrachtet, die keine individuellen Merkmale aufweisen, sondern die alle nur durch jene quer in den Handteller eingeschnittene „Affenfurche" gekennzeichnet sind – ein Anblick, der mich aufs neue melancholisch gemacht hat, so als müsse der Affe gefangen sein in einer kreatürlichen Trauer über das Mißglücken seiner Menschwerdung. Und als hielte er uns als

Zeichen dieser Trauer und als hilflose Bitte um unser Mitgefühl seine Handflächen hin. Auch der Vor-Mensch mag, noch ehe er sprechen konnte, mit aufgehobenen Händen auf ein anderes Mitglied seiner Horde zugegangen sein, zum Zeichen für seine Friedfertigkeit. Doch erst mit Hilfe der Sprache, die alsbald, also wohl nach Hunderttausenden von Jahren, diese Droh- und Demutsgebärden ergänzte, uns aus der Instinktgebundenheit befreite und uns endgültig die Überlegenheit gegenüber den Tieren gab – ausgerechnet mit Hilfe der Sprache scheinen sich dann die Menschen der einen Horde von denen der anderen Horde abgegrenzt zu haben: Der Anderssprechende war der Fremde, war kein Mensch, unterlag nicht dem Tötungstabu. Diese Überlegung kommt ungelegen. Sprache, die Identität schafft, zugleich aber entscheidend dazu beiträgt, die Tötungshemmung gegen den anderssprechenden Artgenossen abzubauen. Die gleiche Sprache, die den Sprung in den „vollmenschlichen" Zustand markiert, Bewußtsein öffnend, dabei bisher Bewußtes ins Unbewußte drängend: Die „Brillanz unserer jüngsten evolutionären Errungenschaft, die verbalen Fähigkeiten der linken Hemisphäre," verdunkeln also, „wie Sonnenlicht den Sternenhimmel, unser Bewußtsein für die Funktion der intuitiven rechten Hemisphäre, die bei unseren Vorfahren das Hauptwerkzeug zur Wahrnehmung der Welt gewesen sein muß." Das Doppelgesicht der Sprache …

Meine alte Londoner Freundin, meine Namensvetterin (ein zufälliger Umstand, der uns in Verbindung gebracht hat) ist, wie ich inzwischen weiß, an dem gleichen Tag, an dem ich anfing, über sie zu schreiben, gestorben. Nun also doch erschöpft. Nun also doch meinem Wunsch, sie einmal wenigstens zu sehen, für immer entrückt. Eines ihrer ersten Bücher liegt vor mir, in deutscher Übersetzung. (Die Sprachbarriere solle man sich nicht zu harmlos vorstellen, hatte sie mir einmal geschrieben.) Wieder lese ich die Beschreibung ihrer ersten Emigrantenzeit in England, ihrer kaum verhohlenen Verzweiflung über die Aussichtslosigkeit, einander zu verstehen – ein Übel, dem ihr immer korrekter werdendes Englisch offenbar nicht abhelfen konnte, weil es ja unter der Sprachschicht steckte, und ich habe ihr letztes Buch in die Hand genommen, das mich am gleichen Tag erreicht hat wie ihr letzter Brief, es ist in englisch geschrieben wie ihre Autobiographie, in der ich auf die Sätze gestoßen bin: „But in the social plight of our age we have to reconcile ourselves to half measures. We are forced to use our multiple personalities like players acting different plays. We have to hide our authentic Self under a mask, and act a part in order to come to terms with a stereotyped social code."* Ist es so? So ist es. Schreibend, Bruder – weil du gefragt hast –, haben wir mehr und mehr die Rolle des Schreibenden zu spielen und uns zugleich, indem wir aus der Rolle fallen, die Masken abzureißen, unser authentisches Selbst hervorschimmern zu lassen – hinter Zeilen, die, ob wir es wollen oder nicht, dem sozialen Code folgen. Diesem Vorgang

* „Aber in dem miserablen sozialen Zustand unseres Zeitalters müssen wir uns mit Halbheiten abfinden. Wir müssen unsere vielfältigen Persönlichkeiten wie Schauspieler benutzen, die in verschiedenen Stücken spielen. Unser authentisches Selbst müssen wir unter einer Maske verbergen und eine Rolle spielen, um klarzukommen mit einem festgelegten sozialen Code." (Charlotte Wolff: „Hindsight", London 1980)

gegenüber sind wir meistens blind. Ein Tag wie dieser, paradox in seinen Auswirkungen, zwingt uns, zwingt mich, Persönliches nach außen zu kehren, das Widerstreben zu überwinden.

In dem großen Umschlag, den ich zuletzt geöffnet habe, sind Texte gewesen, die Schweizer Frauen herausgesucht hatten, um sie als Plakate am Hiroshima-Gedenktag aufzustellen. Kaum habe ich mich noch wundern können, daß es Texte zum Thema „Sprachverwirrung" gewesen sind – daran gewöhnt, daß in gewissen dringenden Fällen alles mir zuarbeitet. „Es hatte aber alle Welt einerlei Sprache und einerlei Worte", habe ich gelesen, und mir ist es so vorgekommen, als würde ich diesen sehr alten Text zum erstenmal lesen. „Und sie sprachen: Wohlan, laßt uns eine Stadt bauen und einen Turm, dessen Spitze bis in den Himmel reicht ..." Gegen den Geruch der Hybris aber scheint DER HERR sehr empfindlich zu sein. Unverzüglich fährt er hernieder und spricht: „Siehe, sie sind ein Volk und haben alle eine Sprache. Und dies ist erst der Anfang ihres Tuns; nunmehr wird ihnen nichts unmöglich sein, was immer sie sich vornehmen." Woraufhin er ihre Sprache verwirrt und so bekanntlich den Turmbau verhindert. Auffälligerweise wendet er im Fall des größenwahnsinnigen Kaisers Nimrod das gleiche Mittel an: Auch dieser läßt sich ja, als weithin leuchtendes Zeichen seiner Selbstüberhebung, einen Turm bauen, der schon so hoch ist, „daß es ein ganzes Jahr währte, ehe der Lehm und die Ziegel den Maurer oben erreichten". Während sie aber bauten, „schossen sie mit Pfeilen gen Himmel, und die Pfeile fielen blutgefärbt zurück. Da sprach einer zum anderen: Nun haben wir alles,

92

was da oben ist, getötet. Aber dies war vom HERRN so angestellt worden, um sie zu verwirren und zu vernichten von dem Angesicht der Erde. Und er tat dies, indem er ihre Sprache verwirrte, daß einer die Worte des anderen nimmer verstehe." Wie wichtig DER HERR die Sprache nimmt. Wie er danach trachtet, daß sie kein Instrument seiner Untergebenen wird, sich gegen ihn zusammenzuschließen. Wir hingegen verstehen alle die basic language, mit deren Hilfe wir unsere Türme aufrichten, habe ich denken müssen, aber das nützt uns nichts; und wir kennen alle die technische Stimme, die aus einem Apparat kommt, und wir zählen mit, wenn sie jenen anderen Apparat, den Turm mit Raketenantrieb, in den Himmel schickt, der aber nun nicht mehr Himmel heißt, sondern Kosmos: Five – four – three – two – one – ZERO! Nur manchmal stürzen die Türme wieder herunter, mit ihrer blutigen Fracht –

Das ist einer der Tage gewesen, an dem mir alle Zeichen eingefallen sind, die wir schon zu sehen gekriegt haben, ohne sie zu verstehen. Ich habe mich hingesetzt und dir einen Brief geschrieben, Bruder, mit großen Buchstaben, für deine noch geschwächten Augen, und ich habe Worte wie „Neubeginn" und „Wiedergeburt" hineingeschrieben und habe mich an sie glauben gemacht, obwohl ich mich fragen mußte, ob es Trotz ist, daß ich auf ihnen beharre, oder die Unfähigkeit, mich den neuen Gegebenheiten wirklich zu stellen, oder ob ich es einfach für angebracht gehalten habe, deinen Genesungswillen zu stärken, und sei es durch ein bißchen Täuschung. Flüchtig ist mir der Zusammenhang zwischen dem Wort Täuschung – noch besser:

Selbsttäuschung – und dem von mir in immer engerem Zirkel umkreisten „blinden Fleck" aufgetaucht –

aber zuerst habe ich mir noch die anderen vier oder fünf Briefe zurechtgelegt, welche Anfragen oder Einladungen enthielten, und habe sie, die letzteren abschlägig, beantwortet. Dabei habe ich immer wieder hinausgesehen. Ich habe den Sonnenuntergang nicht versäumen wollen, bin auf den Boden gelaufen, als die Sonne noch zwei Finger breit über dem Horizont gestanden hat, vom Bodenfenster aus habe ich ihr zehn, fünfzehn Minuten lang zugesehen, wie sie untergegangen ist, in jenem Farbenspiel, das nur die nördlichen Himmel kennen und dessen ich niemals satt werden kann. Daß die Sonnenuntergänge mich auch dann nicht langweilen würden, wenn immer mehr von dem, was mir heute noch wichtig ist, gleichgültig oder bedeutungslos geworden sein würde (wie so vieles, was mir vor zehn, und noch mehr, was mir vor zwanzig Jahren wichtig war, mich heute nicht mehr interessiert), der Gedanke ist mir ein kleiner Trost gewesen. Übrigens ist die blutrote, kugelförmige Sonne mir an jenem Tag, als sie mit ihrem äußersten Rand den äußersten Rand der Erde berührte, der ihr um Millimeter entgegenzukommen schien, ein sehr fernes, fremdes und unnahbares Gestirn gewesen, und ich habe nicht verstehen können, wie jemals Menschen sie bedichten konnten, noch weniger, wie man sie hat ansingen können: *Holde Abendsonne / Wie bist du so schön.* Das habe ich, vor einem halben Jahrhundert, meine Großmutter in ihrer Küche singen hören. Mich hat der Anblick dieses Gestirns, unbegründeterweise, an jenem Abend in meiner Überzeugung bestärkt, daß wir im Weltall allein sind und, so hoch oder so weit wir unsere Raketentürme schießen und andere Sonden aussenden mögen, kein menschliches Signal uns antworten wird. Wozu auch in den Kosmosschiffen diese Weltraumplakette mit dem Umriß des Menschenpaares – der Mann mit der zum Friedensgruß erhobenen Hand – als Botschaft aussenden an menschenähnliche Wesen auf anderen Planeten, wenn diejenigen, die sie erfanden und herstellen, unfähig geworden sind, in das Haus ihres Nachbarn zu gehen und ihm ein menschliches Signal, ein Lächeln, zu entlocken –

Wenn eine Gehirnverletzung die Sprachzentren in Mitleidenschaft zieht, sei auch der Rest der Persönlichkeit gestört, sofern nicht, wie es manchmal vorkomme, andere Teile des Gehirns diese spezielle Funktion übernähmen. Solche Sätze können wir jetzt frank und frei denken, Bruder, nicht wahr. Überhaupt nimmt die Zahl und Art der denkbaren Sätze von Stunde zu Stunde zu, seit ich weiß, du lebst; du bleibst der, den wir kennen. „Reduziert", höre ich dich sagen, aber was heißt das denn. Reduziert um jene Fähigkeit der Streßregulierung, die, nach einem Zeichen von der Hypophyse, die Nebenniere zu übernehmen hat. Das Zeichen bleibt aus, die Nebenniere arbeitet nicht, das Hormon fehlt, du kannst, über einen gewissen Pegel hinaus, Streßsituationen nicht ausregulieren. Dieser Pegel jedoch erlaubt es dir, fünf Stunden am Tag konzentriert zu arbeiten. Wer kann das schon! Sind nicht vielleicht unsere Ansprüche zu hoch oder falsch gerichtet. Ist nicht deine Lernaufgabe jetzt möglicherweise: dich entspannen, dich gehenlassen, dich erholen; genießen, was ohne Anstrengung zu erreichen ist. Und nicht: in immer neuem Anlauf jene Gebiete deines Nervensystems hochpeitschen, die dir vielleicht mit Hilfe der Krankheit gerade nahelegen „wollten", sie ein wenig zu schonen.

Aber das ist doch kein Leben.

Nein?

Ein Leben ohne tägliche intensive Achtstundenarbeit ist kein Leben. Falls der Leistungsstand nicht mehr gewährleistet ist, kommen Worte wie „Invalide" auf. Die Sprache spielt mit, eilfertig liefert sie die Begriffe und verfestigt ein eher vages Empfinden. Nun ist es gesagt und heraus, und wie soll man von bestimmten Wörtern wieder weg- und herunterkommen? Wenn dir das bis jetzt kein Problem gewesen ist, Bruder – jetzt wird es eins. So daß sich, wie ich dir wieder und wieder vorzuhalten suche, dein Erfahrungsbereich in gewissem Sinn doch auch erweitert. Um unerwünschte Gebiete, mag sein. So wäre es deine Arbeit also jetzt, die unerwünschten zu angenommenen, und schließlich, womöglich, zu erwünschten Erfahrungen zu machen ...

Das ist nun aber wirklich zuviel verlangt.

Während ich die Briefe zum Briefkasten gebracht habe, ist mir aufgefallen: Immer scheinen die unzumutbaren Forderungen sich auf Versäumnisse in ungelebten Lebenszonen zu beziehen, die nicht ohne weiteres durch nachgelebtes Leben auffüllbar sind. Vorbei ist vorbei: Je älter wir werden, desto mehr lernen wir die Unerbittlichkeit der Zeit respektieren und fürchten. Man kann sich das Hirn zermartern nach Rechtfertigungen für Ungetanes, der Art: Aber ich habe stattdessen doch – gearbeitet, geschrieben. Es nützt ja nichts. Das

Versäumnis wird als Schuld eingeklagt und ist nicht wiedergutzumachen –

Nahe, sehr nahekommen wir nun doch unserem blinden Fleck. – Ob es eigentlich naturnotwendig war, ob es keine andere Lösung für die Konstruktion des menschlichen Auges gegeben hätte als die, es mit einem blinden Fleck auszustatten? Jenem winzigen Punkt in der Netzhaut, wo der Sehnerv einmündet, der zum Gehirn führt. Schneller Trost: Unser anderes Auge gleiche diese minimale Lücke in unserer Wahrnehmung aus. Wer aber, oder was, kann uns helfen, jene Wahrnehmungslücke zu schließen, welche wir uns durch unsere spezielle Art und Weise, uns in dieser Welt zu behaupten, unvermeidlich selbst zuziehen müssen. Woher da Trost nehmen?

Brüderlichkeit – ein Wort, das fällig war. Brüderlich verbunden, brüderlich geeinigt, brüderliche Kampfesgrüße. Den erbitterten Kampf der Brüder untereinander wollen wir nicht mehr kennen. Unsere stummen, unerbittlichen Kämpfe im Kinderzimmer. Die große Schwester renkt dem kleineren Bruder den Arm aus. Unaussprechbare Schande, daß die Kinder einer Mutter sich nicht innig lieben sollen. Wenn sein Arm steif bleibt, bist du schuld. Die Ur-Schuld. Das Ur-Verbrechen, das man nur am Bruder, an der Schwester begehen kann. Mutter und Vater, um deren Liebe der Kampf eigentlich entbrennt, ziehen sich hinter ein noch dichteres Tabu zurück. Die unendliche Dankbarkeit für den brüderlichen Arm, der uns den Gefallen tut, nicht steif zu bleiben. Diesmal noch nicht. Diesmal bleibt es noch bei der Warnung, die wir zu beherzigen haben. Erleichtert beherzigen

97

wir sie. Stoßen die Leidenschaften, die zu den zähen, erbitterten Kämpfen mit dem Bruder geführt hatten, in jenen Krater in uns, der sich, als Endlagerungsstätte für untragbare radioaktive Gefühle, frühzeitig genug gebildet hat. Was soll es uns nutzen, den dauernd im Auge zu behalten.

Der blinde Fleck.

Das Herz der Finsternis.

Das hört sich gut an, aber etwas in mir bleibt unzufrieden. Wo, habe ich gedacht, müßte der blinde Fleck speziell bei mir, in meinem Gehirn liegen – falls er doch lokalisierbar sein sollte. Die Sprache. Das Sprechen, Formulieren, Aussprechen. Müßte das Zentrum höchster Lust nicht jenem finstersten Punkt benachbart sein? Der Gipfel neben dem Krater?

Die Sprache. Das Sprechen. Es lohnt sich, darauf zurückzukommen. Ich spüre das aufgeregte Flimmern an den unscharfen Rändern meines Bewußtseins. Wenn eine Spezies einmal mit dem Sprechen begonnen hat, kann sie es nicht mehr aufgeben. Die Sprache gehört nicht zu den Gaben, die man nur versuchsweise, auf Probe, annehmen kann. Sie verdrängt viele unserer tierischen Instinkte. Auf die können wir nicht mehr – nie mehr! – zurückgreifen; wir haben uns endgültig aus dem Tierreich abgestoßen; der Säugling, der mit einer archaischen Reflexausrüstung zur Welt kommt, muß diese in wenigen Wochen ablegen, um sich normal, das heißt: zum Menschen, entwickeln zu können. Die Stirnlappen des Neocortex haben das Kommando übernommen. Kultur ist ihr Produkt. Sprache, Mittel der Überlieferung, ihre Voraussetzung.

Was ficht mich also an? Mißtrauen ist es, Selbstverdacht. Mein Gehirn, über das Normalmaß hinaus empfänglich für Sprache, muß gerade über dieses Medium auf die Werte dieser Kultur programmiert sein. Wahrscheinlich ist es mir nicht einmal möglich, die Fragen zu formulieren, die mich zu radikalen Antworten führen könnten. Das Licht der Sprache hat auch ganze Bezirke meiner inneren Welt, die in meiner vorsprachlichen Zeit im Dämmerlicht gelegen haben mögen, ins Dunkel gestoßen. Ich erinnere mich nicht. An irgendeiner Stelle, oder an vielen Stellen, haben wir jene Wildheit, Unvernunft, Tierischkeit in die Kultur hineinnehmen müssen, die doch gerade geschaffen wurde, das Ungezähmte zu bändigen. Die Echse in uns schlägt mit dem Schwanz. Das wilde Tier in uns brüllt. Verzerrten Gesichts stürzen wir uns auf den Bruder und bringen ihn um. Dann möchten wir uns das Gehirn aus dem Kopf reißen und den wilden Punkt suchen, um ihn auszubrennen. Amok laufen, weil unser Gehirn durchbrennt.

Aufstehn. Herumlaufen. In die Küche gehn, etwas mit den Händen tun. Brot schneiden. Kräuter hacken. Mitten in der Küche stehn, die Arme schwenken, mit ihnen kreisen wie mit Windmühlenflügeln. Springen. – Jemand hat von draußen meinen Namen gerufen. Frau Umbreit, die Frau des Fischers, ist mit einem länglichen Paket vor der Tür gestanden. Sie essen doch Aal gerne? – Aber kommen Sie doch rein! („Fisch, der radioaktive Speicher!") Wir haben eine Weile in der Küche gesessen. Ich habe genauestens erfahren, auf welche Weise man Aal sauer einkocht, und Frau Umbreit ist ganz froh gewesen, daß sie mir die Geschichte von ihrem Sturz in die Kellerfalltür vor fünf Jahren noch nicht erzählt hatte. Wie sie sich

gefühlt hat, da unten, das hat sie noch genau gewußt. Und dann: Ein Jahr lang Krankenhaus! Fünf
Operationen! Da habe ich mir ihren manchmal
leicht unsicheren Gang erklären können, nicht
aber, immer noch nicht, wie sie bei ihrer Abneigung gegen Fisch einen Fischer hat heiraten können. Tja. Wo die Liebe eben hinfällt. Aber zurecht-
gemacht hat sie ihrem Mann seinen Fisch immer,
da hat er sich nie beklagen können, und ge-
schmeckt hat er ihm auch, einwandfrei. Nur bei
manchen Fischen kann sie nichtmal die Sauce ko-
sten, bei Wild übrigens auch nicht. Das sind so
Vorurteile.

Ich habe dann, nachdem Frau Umbreit gegangen
war, angefangen, den Aal in Stücke zu schneiden,
der, wenn ich ihn mit dem Messer berührte, heftig
zu zucken begann. Eines der kopflosen, enthäuteten
Aalstücke sprang mir vom Tisch und führte auf
den Fliesen einen grotesken Tanz auf. Mir ist eine
Gänsehaut den Rücken hoch bis in die Haarwurzeln gelaufen, ich habe laut gesagt: Das sind ja nur
die Nerven!, habe einen Lappen genommen, jeden
Aal fest gepackt und zerschnitten. Danach habe
ich meine verbissenen Kiefer kaum auseinander-
bekommen. Ich habe dann, nach der Vorschrift
von Frau Umbreit, soviel Essig in das Kochwasser
gegeben, daß es mir fast zu sauer erschien, und
reichlich Zwiebeln, Lorbeer, Pfefferkörner, Salz,
und habe den Aal zum Kaltwerden in eine Porzel-
lanschüssel getan. Die ganze Küche ist in Fisch-
und Essigdunst gehüllt gewesen.

Ich habe, was ich zum Abendbrot essen wollte,
aus dem Kühlschrank genommen und auf ein Tablett gestellt und bin damit über den immer noch
sehr kalten Flur und die Diele, in der der Kalender

mit dem Datum hängt, in das große Zimmer gegangen. Niemals würde ich vollkommen ausdrük-
ken können, welche Empfindungen dieser Gang
durch die gründämmrige Diele, dieser Blick auf
ein Datum in mir auslösten. Ist es das wert, Bruder, ein Leben daranzusetzen, sich immer ge-
nauer, erkennbarer, unverkennbarer ausdrücken
zu können? Manchmal schäme ich mich solcher
rhetorischen Fragen nicht, besonders dann nicht,
wenn ich gar kein Risiko eingehe, denn du hast
auf sie immer zuverlässig reagiert und wirst das
weiterhin tun, wirst entschieden werden, deine
Starrköpfigkeit aus unseren Kindertagen wieder
hervorkehren, wirst, wenn du es für nötig hältst,
meine Obsessionen, die dir fremd sind, gegen mich
in Schutz nehmen, einer der wenigen Menschen,
die mich nicht anders haben wollen, als ich bin.

(Fast fünf Monate nach jenem Tag, den ich hier
immer noch beschreibe, macht man mich auf eine
Zeitungsnotiz aufmerksam, die ich vor einigen Wochen übersehen haben muß: Ein namhafter jun-
ger Wissenschaftler habe das Kernwaffenfor-
schungszentrum Livermore verlassen, nachdem er
seinen Vertrag mit ihm gelöst hatte. Die Zeitung
findet sich nicht mehr. Aufgeregt rufe ich die Re-
daktion an, eine Redakteurin erinnert sich an die
Notiz, nicht an den Namen des Wissenschaftlers,
verspricht aber, Nachforschungen anzustellen. Am
nächsten Tag sagt man mir genau den Namen
durchs Telefon, auf den ich nicht zu hoffen gewagt
hatte: Der Mann heißt Peter Hagelstein. – Das
gibt's ja nicht! sage ich. Doch, doch, es steht hier,
sagt die junge Redakteurin. Sie muß sich wundern
über meinen Überschwang. Einer hat es geschafft.
Nichts ist endgültig. Ich muß erneut über die

Schicksale und Entscheidungen des modernen Faust nachdenken.)

Nochmal das Telefon. Die Stimme der älteren Tochter hat müde geklungen, ich habe sie trotzdem mit der Frage überfallen: Was hältst du eigentlich für unseren blinden Fleck? – Ach Mutter! – Ich habe sie gefragt, ob in ihrer Antwort das Wort „Lebenslüge" vorkommen würde. – Nicht unbedingt, sagte sie, sie würde von dem Bereich unserer Seele, unserer Wahrnehmung sprechen, der für uns dunkel bleibe, weil es zu schmerzhaft wäre, ihn anzusehen. – Ich habe gesagt, eine Art Selbstschutz also, und sie hat diesen Verdacht bestätigt, ein erworbener Schutz vor den eigenen Einsichten über uns selbst und vor den Angriffen von außen. – Ob man trotzdem versuchen solle, in unserem blinden Fleck einzudringen, ihrer Meinung nach. – In deinem Beruf? hat sie gesagt. Unbedingt. Aber alleine schaffe man das nicht. – Ich habe, während ich weiter mit ihr gesprochen habe, zugleich meine Unbedingtheiten, als ich so alt war wie sie, mit ihren Unbedingtheiten verglichen und habe überlegt, ob sie mir einen früheren Hang zur Unbedingtheit überhaupt noch würde glauben können oder wollen, während ich sie gefragt habe, wo sie die Grenze sehen würde für das Experiment, unsere Grenzschutzsicherungen abzubauen, und sie hat gesagt, was ich erwartet hatte: Es gebe da keine Grenze, kein Halt, wenn man einmal ernsthaft damit begonnen habe. – Depressionen? habe ich gesagt. Selbstmordgefahr? – Würden sich dann auch nur als Abwehrformen entpuppen, quälend zwar, aber immer noch leichter erträglich als die konkrete Wahrnehmung des wirklichen eigenen Ungenügens. Wenn man sie aber einmal zugelassen habe, weiche der depressive Druck, und es wachse der Mut zu handeln – ein zwar schmerzhafter, doch auch lustvoll-spannender Prozeß. – O Tochter, habe ich gesagt, dein Wort in Gottes Gehörgang. – Siehst du, hat meine ältere Tochter gesagt, nun wehrst du wieder ab, und, so stark mir bewußt gewesen ist, daß ein Ersuchen um Schonung nichts anderes als Abwehr ist, so sehr habe ich ihre Behauptung bestreiten müssen und, so schnell es ging, ihr Augenmerk auf die Abwehrmechanismen ganzer Kulturen gelenkt. Dafür sei sie nicht zuständig, hat sie gesagt, aber warum solle es nicht eine Chance für eine ganze Kultur sein, wenn es möglichst viele ihrer Mitglieder wagen können, der eigenen Wahrheit ohne Angst ins Gesicht zu sehen? Was ja heiße, die Bedrohung nicht dem äußeren Feind aufzubürden, sondern sie da zu lassen, wo sie hingehöre, im eigenen Innern. – Ob dies nicht die allerutopischste von allen Utopien ist, habe ich mich, nicht sie, gefragt.

Während wir noch über Erfahrungen mit Angst hin- und hergeredet haben (unterscheiden nicht die Objekte ihrer Angst die Generationen mehr als alles andere?), ist die Enkeltochter ans Telefon gekommen. Ja, hat sie gesagt, soweit sei alles o. k. Ob ich „Prinz" kenne. Ein Hund? habe ich unvorsichtigerweise gefragt und im selben Moment gewußt, wie ich damit wieder einmal meine abgrundtiefe Desinformiertheit bloßstellte. Nachdem die heftigen Reaktionen am anderen Ende der Leitung sich gelegt hatten, hat sich herausgestellt, „Prince" war ein Sänger aus der Rock-Szene und sah dem neuen Freund meiner Enkeltochter ähnlich. – Umgekehrt wird wohl ein Schuh draus, habe ich gesagt, das hat sie überhört. Sie habe ihn, Mike, den neuen Freund, vorige Woche in der Disko kennengelernt: Er sei süß. – Blond oder schwarz? habe ich gefragt. – Schwarz natürlich. Blond käme überhaupt nicht in Frage. – Man soll nie „nie" sagen, habe ich gesagt und meine Mutter aus mir reden hören; habe sie stehen sehen und mit ihrer Enkeltochter, meiner Tochter, telefonieren hören: Aber Kind, ist das alles nicht ein bißchen früh! – Also habe ich diesen Satz nicht zu meiner Enkeltochter gesagt, sondern mir ihre gefühlsgeladenen Kommentare zu ihren verschiedenen Lehrern angehört, immer darauf bedacht, mein Verständnis zwischen ihr und den Lehrern zu teilen, aber meine Enkeltochter brauchte keinen Gerechtigkeitssinn, ihr hat es vollauf genügt, daß sie ihrer Zu- und Abneigungen sicher war.

Meine Güte, habe ich dann doch sagen müssen, als die Tochter wieder am Apparat war. Passiert jetzt alles ein, zwei Jahre früher, nicht? – Sie beeilen sich eben, hat sie erwidert. Vielleicht weiß etwas in ihnen, warum. – Anstrengend? habe ich gefragt, und sie hat gesagt: Manchmal schon, und ich habe sie auf das Wirken der ausgleichenden Gerechtigkeit hingewiesen, die eben eine ganze Generationsspanne brauche, um voll zum Zuge zu kommen. Dann habe ich mich nach dem Enkelsohn erkundigt. Ob sie ihn in diesen Tagen in der Wohnung halten könnten. – Ausgeschlossen, hat sie erwidert. Er sause den ganzen Tag mit dem Fahrrad draußen rum. Aber man habe ihn immer gründlich abgeduscht, und wenn es regnen sollte, müßte er eben drin bleiben. Übrigens beschäftige er sich gerade mit den letzten Fragen des Daseins. Heute zum Beispiel habe er, auf dem Klo sitzend, seinen Vater durch die Tür gefragt: Papa, wie kommt eigentlich die große Klotür in mein kleines Auge rein? – Erbarm dich! habe ich gesagt. Und weiter? – Natürlich habe sein Vater ihm daraufhin eine exakte Zeichnung angefertigt: Die Klotür, das Auge, in dem die Lichtstrahlen sich kreuzen, der Weg über den Sehnerv zum Sehzentrum im Gehirn. Und daß es die Sache des Gehirns sei, das winzig kleine Abbild im Bewußtsein des Empfängers wieder auf normale Klotürgröße zu bringen. – Und? Hat er sich zufriedengegeben? – Du kennst ihn doch. Weißt du, was er gesagt hat? Er hat gesagt: Und wie kann ich sicher sein, daß mein Gehirn mir die Klotür wirklich auf die richtige Größe bringt? – Tja, habe ich nach einer Pause gesagt. Du, übrigens: Wie kann man da wirklich sicher sein? – Jetzt hör du aber auf! hat meine ältere Tochter mich zurechtgewiesen, und wir haben noch darüber gesprochen, wie schwer es ihnen falle, gerade jetzt, nach dem langen Winter, das Grünzeug nicht zu essen, das es endlich zu kaufen gebe. Wir haben auch über dich gesprochen, Bruder, und ich habe gemerkt, daß meine Tochter mir jetzt, nach der Operation, ihre auf Fachwissen beruhenden Befürchtungen deutlicher zeigte als davor. Diese Art Schonung hätte ich mir gerne verbitten können, aber ich habe den Impuls unterdrückt, habe mich flüchtig gefragt, wann eigentlich das Zentrum der Schonung sich von den Kindern auf die Eltern verlagert, und dagegen hätte ich gerne noch einmal rebelliert. Also habe ich meiner Tochter noch unvermittelt die Frage gestellt, ob sie eigentlich unserem einst gemeinsamen Glauben, was ausgesprochen sei, sei überwunden, immer noch anhänge, oder ob sie ihn inzwischen für Aberglauben halte. Darauf hat sie

105

mir nicht geantwortet, mir ist von selber eingefallen, daß wir wohl in diesem Punkt nie genau den gleichen Glauben hatten, und ich habe verstanden, daß sie über die Art Fragen hinaus gewesen ist und mich mit ihren neueren Einsichten nicht erschrecken wollte. Wohl auch nicht glauben konnte, daß ich imstande wäre, sie wirklich zu akzeptieren. Mit einem schmerzhaften Ruck bin ich wieder um ein Stück vorgerückt in der Generationenfolge, das Körpergefühl eines Fossils hat sich weiter in mir ausgebreitet, die gute, alte Echse in mir hat genüßlich mit ihrem Schwanz geschlagen, oder war es etwas Delphinartiges, denn gegen Abend, wenn ich meinen ersten Schluck Wein getrunken habe – auf dich, Bruder! Auf deine Gesundheit! –, lasse ich beinahe jede Art von Einfällen zu; spüre ich mit einer manchmal fast bösen Erleichterung, auch Erheiterung, meine Selbstzensur schwinden, und so habe ich mich mit eben dieser Erheiterung der Phantasie überlassen, die Delphine – kluge Tiere, Bruder, deren Hirnvolumen, auf ihr Körpergewicht bezogen, dem unseren nicht um vieles nachsteht – könnten einmal, in grauer Vorzeit, die Gabe des Sprechens, die vielleicht auch ihnen angeboten wurde, nach reiflicher Überlegung abgelehnt haben, um sich ihre pfeifende Kommunikation im Ultraschallbereich, ihr spielerisches Dasein und ihr freundliches Verhalten bewahren zu können. Denn (so habe ich, mit meiner herabgesetzten Hemmschwelle, am Abend dieses Tages eingesehen, während ich, einen Campingtisch mit meinem Abendbrottablett vor den bequemsten Sessel gerückt, abwechselnd verschiedene Fernsehprogramme angestarrt und dabei gegessen habe), denn wir können uns drehen und

106

wenden, wie wir wollen; wir können uns kopfstellen: freundlich sein, das können wir nicht. Wir haben die Geschenke falscher Götter angenommen, und wir alle, jeder einzelne von uns, haben die falschen Speisen von den falschen Tellern mitgegessen.

Aber was heißt denn das, was kann irgendeine, auch die gelungenste Formulierung überhaupt noch heißen, soviel ist schon geredet und geschrieben worden, immer dichter wird der Kordon des Wort-Ekels, das hätte ich niemals für möglich gehalten, lieber Bruder, vorläufig sage ich es nur dir, Älterwerden heißt: alles geschieht, was du niemals für möglich gehalten hättest, und wie hätte ich voraussehen sollen, daß zuerst die Worte, dann meine Worte mich ekeln würden, und wie blitzschnell der Umschlag in Selbst-Ekel gehen kann, das hätte ich auch nicht gedacht, es ist also nicht wahr, daß man, älter werdend, nichts Neues mehr erfährt, wer sich früher davonmacht, hat, so hart der Widerstand ihn manchmal angekommen sein mag, nur die Vorfelder durchschritten, nun erst steht er vor der Zitadelle, und in seinen schwärzesten und wahrhaftigsten Stunden sieht er in ihr seine eigene Gestalt, da kann man von Schreck nicht mehr reden, oder von Grauen, da kann man überhaupt nicht mehr reden, denn mag es windstill sein im Zentrum des Zyklons, so ist es doch auch still (nicht ruhig: still, ohne Laut), Plus- und Minuspol fallen zusammen, „Scham" mag auch ein schönes altes Wort sein, und wie sind die zu beneiden, die sich durch Scham erneuern dürfen, denen eine Reinigung durch Bekennen vergönnt ist, aber um Erneuerung oder Reinigung geht es ja nicht mehr, es geht um den vollständigen Zusammenbruch und um gar kein Versprechen, geschweige eine Gewißheit für die Zeit danach, außer der einen, daß es Wiedergutmachung nicht gibt, aber müssen denn, fragt ein Rest von Widerstand, Schreib-Lust und Zerstörung aneinander gekoppelt sein, der Umkreis von Zerstörung um einen Schreibenden, wie oft habe ich ihn beobachtet, wie ihn gefürchtet, ihn manchmal umgehen, nicht immer vermeiden können, da es in der Natur der Sache, im Wesen des Lasters Schreiben zu liegen scheint, daß es Rücksichten nicht kennt und der eingreifende Schreibvorgang, von dem so viel die Rede war, in zustimmendem Sinn, doch auch immer Menschen mit greift, Personen, die durch die Beschreibung zu Betroffenen werden, sich beobachtet, aufgespießt, kategorisiert fühlen müssen, verkannt, in schlimmeren Fällen verraten, immer aber auf Distanz gebracht, um der gelungenen Formulierung willen, und dagegen weiß ich kein Mittel außer Schweigen, was das Übel von außen nach innen verlegt, dann also sich selbst weniger schonen als die anderen, wiederum Selbstbetrug.

Der Kreis schien sich zu schließen, die Katze hat sich in den Schwanz gebissen, sehr eng ist es mir um die Brust geworden, da hat mein braves Gedächtnis, manchmal doch auch im Bunde mit mir, mir ein paar Zeilen zugetrieben, zwei Verse eines früheren Dichters, und ich brauchte nur einen Buchstaben zu verändern, um den Ring zu sprengen:

Du sollst dich nicht entschuldigen,
Du sollst nur sagen, wie es kam!

Ach ja. Das gute alte neunzehnte Jahrhundert. „Mich" oder „dich" – da liegt der ganze Unterschied in einem Buchstaben, und da kann man, habe ich gedacht, nein: muß man der Sprache doch auch wieder froh werden. Du sollst nur sagen, wie es kam. Das „nur" habe ich sehr genossen.

An jenem Abend haben sie auf mehreren Fernsehkanälen zum ersten Mal den Umriß des verunglückten Reaktors gezeigt, ein Schema, das sich uns mit der Zeit ebenso einprägen müßte wie das Symbol des Atompilzes. Herren haben sie vor die Kameras gesetzt, die allein durch ihre gut geschnittenen grauen oder graublauen Anzüge, durch die dazu passenden Krawatten, den dazu passenden Haarschnitt, ihre besonnene Wortwahl und ihr ganzes amtlich beglaubigtes Dasitzen eine beruhigende Wirkung ausgestrahlt haben – ganz im Gegensatz zu den paar jüngeren, bärtigen Pulloverträgern, die durch ihr aufgeregtes Reden und heftiges Gestikulieren den Verdacht erweckten, sie hätten die Mikrofone widerrechtlich erobert, und ich habe an die Leute im Lande denken müssen, an die arbeitsamen, stillen Leute in den beiden Ländern, die ihre Blicke abends auf dem Bildschirm vereinen, und mir ist klar geworden: Auf die im Pullover werden sie weniger hören als auf die in den Maßanzügen mit ihren maßvollen Meinungen und ihrem maßvollen Verhalten; sie wollen nach den Mühen des Tages am Abend im Sessel sitzen wie ich und ihr Bier trinken – bei mir ist es Wein, na schön –, und sie wollen etwas vorgeführt kriegen, was sie freut, und das kann gerne ein verzwickter Mordfall sein, aber es soll sie nicht zu sehr angehn, und das ist das normale Verhalten, das uns anerzogen wurde, so daß es ungerecht wäre, ihnen dieses Verhalten jetzt vorzuwerfen, bloß weil es dazu beiträgt, uns umzubringen. Auch in mir habe ich einen starken Hang zu diesem Normalverhalten gespürt, mein Wein war gut gekühlt und hat grünlich gefunkelt, wenn ich das Glas gegen die Lampe hielt, und ich habe mich wohl gefühlt in meinem Sessel, in diesem Raum und in dem alten Haus, auch du, Bruder, würdest gesund werden, und warum sollten nicht auch eine ganze Menge anderer Probleme einer gütlichen Lösung zugeführt werden. So hätte meinetwegen eine Weile noch alles so bleiben können, wie es war, und in dieser geheimen Hoffnung habe auch ich den Fernsehherren zugehört. Auf dem einen Kanal haben sie sich ausführlicher mit der Wolke beschäftigt, die ja nun auch schon ein wenig zu unserer großen Fernsehfamilie gehört hat, als das Schmuddelkind, sozusagen, und wenn ich sie recht verstanden habe, muß unsere Wolke sich irgendwann geteilt haben, oder sie ist auf der einen Bahn hin-, auf der anderen zurückgezogen; jedenfalls sind der Norden und der Süden Europas getadelt worden für ihre bedauerlichen radioaktiven Werte, aber den Bauern, die ganz wild in die Kamera geschimpft haben, weil niemand ihnen sagen konnte, wer ihnen den untergepflügten Salat bezahlen würde, habe ich ja auch nicht helfen können; ihr Geld war ihr Problem. Mein Problem dagegen ist die Überlegung gewesen, ob wir uns in einem Ernstfall wie diesem tatsächlich zu Nordeuropa zählen mußten, was wir sonst leichtfertigerweise und eigentlich aus Eitelkeit tun, oder ob wir nicht, genaugenommen, noch zu Mitteleuropa gehören. Inzwischen haben die Herren in den Anzügen sich gegenseitig alle Sicherheitsfaktoren aufgezählt, die einen Reaktorunfall ausschließen, und sie haben sich und uns auch nochmals alle Gründe genannt, welche die sogenannte friedliche Nutzung des Atoms als unverzichtbar – dies war ihr Wort – erscheinen ließen, und wenn der eine von ihnen auf irgendein Argument nicht gleich gekommen ist, dann hat der andere ihm eingeholfen, es war wie in einer guten Schulstunde, und ich habe ihnen so aufmerksam zugehört, daß ich nach einigen Minuten so weit gewesen bin, ihnen nun meinerseits vorsagen zu können, und das tat ich versuchsweise, und es hat fast immer gestimmt. Aber dann hat der Moderator, der an der Verbreitung einer besonnenen, gefaßten Stimmung interessiert gewesen ist, geglaubt, nun könne er unbesorgt einen der beiden Herren auf die Aussage festnageln, daß also auch bei diesem besonders fortschrittlichen Bereich von Wissenschaft und Technik absolut fehlerfreie Prognosen für die Sicherheit der in Frage kommenden Anlagen zu treffen seien. – Selbstverständlich! habe ich dem Befragten einhelfen wollen, aber da bin ich voreilig gewesen; denn nun haben der Moderator und ich zu unserer schmerzlichen Überraschung erleben müssen, daß der sich bei aller Bereitschaft zum Entgegenkommen auf diese Aussage nicht hat festnageln lassen wollen. Nun, haben wir ihn sagen hören. Absolut fehlerfreie Prognosen – die gebe es für einen so jungen Zweig der Technik allerdings nicht. Da müsse man, wie immer bei neuen technischen Entwicklungen, mit einem gewissen Risiko rechnen, bis man auch diese Technik vollkommen beherrsche. Dies sei ein Gesetz, das auch für die friedliche Nutzung der Atomenergie gültig sei.

Nun hätte mir kalt werden sollen. Nun hätte ich erschrocken oder empört sein sollen. Nichts davon. Ich habe ja gewußt, daß sie es wissen. Nur, daß sie es auch aussprechen würden, und sei es dieses eine Mal – das hätte ich nicht erwartet. Mir ist ein Brieftext durch den Kopf gegangen, in dem ich – beschwörend, wie denn sonst – irgend jemandem mitteilen sollte, daß das Risiko der Atomtechnik mit fast keinem anderen Risiko vergleichbar sei und daß man bei einem auch nur minimalen Unsicherheitsfaktor auf diese Technik unbedingt verzichten müsse. Mir ist für meinen Brief im Kopf keine reale Adresse eingefallen, also habe ich einige Schimpfwörter ausgestoßen und den Kanal abgeschaltet. Das Fernsehen überhaupt auszuschalten, habe ich meistens nicht die Kraft, schon gar nicht an jenem Abend. Das kannst du nun „Sucht" nennen, Bruderherz, und du hast es mit sanftem Tadel so genannt; ich werde dir das nicht bestreiten. Einem jeden seine Taste, wie den Ratten die ihre, einem jeden seine Schwachstelle, an der die Segnungen der Zivilisation in ihn eindringen können.

Ich habe zwischen zwei Filmen die Wahl gehabt, die ich beide schon kannte. In dem älteren Schwarz-Weiß-Streifen hat der Schauspieler, der den Mann von Ingrid Bergman spielte, versucht, sie, seine Frau, verrückt zu machen – mit Hilfe flackernder Gaslampen und ähnlich primitiver Erscheinungen. In dem anderen gelingt es einem alternden englischen Geheimdienstoffizier, der eigentlich schon pensioniert ist, mit seinen guten alten psychologischen Methoden einen Agenten der Feindseite im Herzen der eigenen Zentrale zu entlarven. In geschmackvollen Brauntönen, mit bewährten Schauspielern. Ich habe andauernd die Taste gedrückt und von jedem Film ungefähr die Hälfte gesehen. Ob nun dieses andau-

ernde Umschalten ein gutes Gehirntraining ist
oder ob es die Konzentrationsfähigkeit schwächt,
ist an jenem Abend meine geringste Sorge gewesen. Den Agenten beider Weltsysteme habe ich
mich überlegen gefühlt, weil die nicht wußten und
es für lange, vielleicht zu lange Zeit nicht mitkrie-
gen würden, daß ihr Beruf sich erledigt hatte. Ein,
zwei, drei radioaktive Wolken aus ein, zwei, drei
Reaktoren in verschiedenen Teilen der Welt, und
die Regierungen würden aus Selbsterhaltungs-
trieb dazu übergehen müssen, ihre Geheimnisse
der anderen Seite geradezu aufzudrängen. Aber
natürlich habe ich mir keine Illusion darüber gemacht, daß die Auftraggeber dieser sympathischen
Agenten heute abend schon registriert hatten, daß
diese kleine radioaktive Wolke die Fähigkeit hatte,
den Gegner – als *Gegner* – in Nichts aufzulösen.
Daß zu den Verzichten, die sie uns kategorisch ab-
verlangte, als nicht geringster Verzicht der Verzicht auf den Feind gehörte. Allerdings habe ich
mich fragen müssen, ob der schlichte Selbsterhal-
tungstrieb bei Menschen, die sich lange genug auf
die Zerstörung des Gegners konzentrieren, überhaupt intakt bleiben kann –

Ich bin noch einmal
zum Telefon gegangen. Auch am Abend hatte die
Schwester – die Nachtschwester nun schon – meiner Schwägerin Beruhigendes über dich gesagt,
Bruder. Doch, du seist wach geworden, habest
Durst gehabt und zu trinken bekommen. Wie
dankbar ich der Schwester gewesen bin, die deinen Durst gestillt hat. Wir haben uns gegenseitig
beruhigt, haben ein wenig darüber geredet, wie
wir diesen Tag verbracht haben, haben nicht er-
wähnt und nicht wissen wollen, daß du dich sehr

schlecht fühltest, daß dir übel war und wahnsinnige Schmerzen eingesetzt hatten. Ich habe meiner Schwägerin zugeredet, für diese Nacht ruhig eine Tablette zu nehmen, um einmal schlafen zu können. Immer noch nicht haben wir uns sagen können und wollen, was wir uns alles vorgestellt hatten; welche Filme in uns abgelaufen waren, in verschiedenen Varianten, darunter der Fall, daß die Operation mißlänge. Alle diese Bildfolgen haben wir jenen Bereichen unseres Gehirns zugeleitet, wo das Vergessen stattfindet –

Ich habe den Fernseher ausgeschaltet, die Vorder-, dann die Hintertür abgeschlossen, das Geschirr vom Abendbrot abgewaschen, die Wurst in den Kühlschrank gestellt. Dabei habe ich die Ameisenstraße entdeckt, die sich dicht am Kühlschrank vorbei auf dem Küchenboden in Richtung Küchenschrank bewegte, die Schrankwand schnurgerade hinaufführte und auf der Marmorplatte zielbewußt das Tablett mit den Marmeladengläsern ansteuerte. Nun war mir endlich klar, wie die Ameisen in die Marmelade kamen. Ich habe also noch den Schrank und den Küchenboden von den Ameisen befreien müssen, habe sie weggewischt, ertränkt, zertreten, aufgefegt, und ich habe das feine Loch in dem morschen Türbalken, aus dem sie in ununterbrochener Reihe herausmarschiert kamen, mit einem in Essig getränkten Wattebausch verstopft. Ein paar Tage würde das wohl halten. Dann habe ich zum Glück noch rechtzeitig daran gedacht, Eimer und Töpfe mit Wasser zu füllen, weil, laut Bekanntmachung am Konsum, am nächsten Morgen wegen Arbeiten am Pumpenhäuschen das Wasser für einige Stunden abgeschaltet sein würde.

Im Bad habe ich mich zu den gleichen Handgriffen gezwungen wie jeden Abend, obwohl ich so müde gewesen bin, daß ich nur schlafen wollte. Gingen mir mehr Haare aus als sonst? Welches waren überhaupt die ersten Symptome? Doch habe ich mir noch ein Buch suchen müssen, in dem ich ein paar Seiten lesen wollte, um einzuschlafen. Meiner Müdigkeit ist es wohl zu verdanken gewesen, daß ich das schmale Buch eines Autors aus dem Regal zog, der mir seit langem dringend empfohlen war, den ich aber, wegen meiner Abneigung für Seegeschichten, immer noch nicht gelesen hatte: Joseph Conrad. *Das Herz der Finsternis.* Ich habe die ersten Sekunden der Erleichterung im Bett ausgekostet, die Lampe über mir in die richtige Stellung gebracht und distanziert die erste Seite gelesen, die, wie erwartet, von einem Schiff handelt. Von einer seetüchtigen Jolle namens „Nelly", die in der Themsemündung liegt und auf die Flut wartet. Nun ja. Ich habe versucht, mir die Themsemündung vor Augen zu führen, wie ich sie einmal gesehen hatte, aber das innere Bild ist sofort verdrängt worden durch eine Beschreibung des Abendlichts über dem Wasser, die mich hellwach gemacht hat. „Der Tag ging in stillem Glanz zu Ende", so fängt sie an. Ich habe sie zweimal gelesen. Dann aber hat der Erzähler, der Marlow heißt, plötzlich mir ins Gesicht hinein den Satz gesagt: „Und auch dies ist einmal einer der dunklen Orte der Erde gewesen." Da habe ich endlich einmal wieder jenen Schlag gegen mein Herz gespürt, den ich nur dann spüre, wenn ein Schreiber aus der Tiefe seiner Selbsterfahrung zu mir spricht.

Und auch dies ist einmal einer der dunklen Orte

der Erde gewesen. Dies auch. Und auch dies. Ich habe auf die Nachtgeräusche gehört, die durch das offene Fenster hereingekommen sind, ein leiser Wind, ein verschlafenes Hundebellen, zum erstenmal in diesem Jahr die Frösche. Mit angespannter Erwartung habe ich weitergelesen, und nach wenigen Sätzen habe ich begriffen: Ja, dieser Marlow weiß Bescheid. Er hat alles schon gesehen und begriffen, hundert Jahre vor dieser „Unserer Zeit", und da liege ich und höre ihm zu, erschrocken und entzückt, wie er von der Wildnis spricht, von der tiefen Finsternis des unbekannten Kontinents, Afrika, und von den Geheimnissen im Herzen seiner Bewohner, zu denen für die weißen Eroberer kein Weg führt. „Bedenkt, keiner von uns würde ganz so empfinden. Was uns rettet, ist die Nutzleistung. Die Hingabe an die Nutzleistung ..." Elfenbein. Elfenbein, in jeder Menge, um jeden Preis, auf jede nur denkbare und undenkbare Methode der Wildnis und den Wilden entrissen. Wer soll je den alten Neger vergessen, der da geschlagen wird. Wer den Todeshain. Wer jenes Eingeborenendorf, das seine Bewohner in panischer Angst verlassen haben: „Was aus den Hennen geworden war, konnte ich auch nicht feststellen. Ich möchte aber glauben, daß sie der Sache des Fortschritts anheimfielen." Ich habe aufgestöhnt, aus mehreren Gründen, darunter aus Bewunderung für diesen Autor. Wie hat er Bescheid gewußt. Wie muß er allein gewesen sein. Und wie soll nun ich auch noch mit diesen sechs durch Ketten aneinandergeschmiedeten Schwarzen leben. „Sie wurden Verbrecher genannt, und das verletzte Gesetz war ebenso wie die platzenden Schrapnells von jenseits des Meeres zu ihnen gekommen, als ein un-

116

faßbares Geheimnis." Ich habe nicht weiterlesen
können, nicht an diesem Abend. Einzelne Sätze
habe ich mir noch beim Blättern herausgefischt, es
gab sie: „Wahrheit, Wahrheit, des Zeitgewandes
entkleidet!" – Morgen würde ich weiterlesen, vielleicht auch nachsehen wollen, mit welchen Mitteln
er es zu solchen Wirkungen brachte. Wie er es geschafft hat, sich von Begriffen wie „Mittel", „Wirkungen" frei zu machen – das schwerste. Heute
habe ich genug. Der da, dieser Autor, hat gewußt,
was Trauer ist. Er hat sich, nicht nur in Gedanken,
mitten hineinbegeben in den blinden Fleck jener
Kultur, der auch er angehörte. Unerschrocken ins
Herz der Finsternis. Und das Licht, das ja auch ihn
geleitet haben muß, hat er gesehen als einen „wan-
dernden Sonnenfleck auf einer Ebene, wie ein
Blitz in Wolken".
Wir leben in diesem Aufblitzen – mag es wäh-
ren, solang die Erde rollt.
So redet dieser Mensch zu mir. Wörter wie
„Haß" oder „Liebe" würde ich bei ihm kaum finden, so scheu. „Gier" gab es, häufig. Gier, Gier,
Gier. –
Vor dem Einschlafen habe ich jene Vor-
richtung in den Intensivstationen vor mir gesehen,
die sie „Tropf" nennen. Hängst du am Tropf, Bruder? Schläfst du? Da hat mir eine Stimme bis in
den Schlaf hinein die Stelle aus dem Märchen vor-
gelesen, in dem die wahre Königin in eine Ente
verwandelt ist. In der Nacht aber sah der Küchen-
junge, wie eine Ente durch die Gosse geschwom-
men kam, die sprach: Königssohn, was machst du,
schläfst du oder wachst du ...
Spät in der Nacht bin ich von einer Stimme
hochgeschreckt und von einem Heulen. Die

117

Stimme hatte von weither gerufen: A faultless monster! Das Heulen, habe ich nach geraumer Zeit gemerkt, ist von mir gekommen. Ich habe im Bett gesessen und geheult. Mein Gesicht ist von Tränen überströmt gewesen. Soeben war in meinem Traum ein riesengroßer, naher, ekelhaft in Zersetzung übergegangener Mond sehr schnell hinter dem Horizont versunken. Am nachtdunklen Himmel war ein großes Foto meiner toten Mutter befestigt gewesen. Ich schrie.

Wie schwer, Bruder, würde es sein, von dieser Erde Abschied zu nehmen.

Juni–September 1986

BÜCHER VON CHRISTA WOLF

IM AUFBAU-VERLAG

Der geteilte Himmel

1963
1. Auflage im Aufbau-Verlag 1975
2. Auflage 1985

Nachdenken über Christa T.

1968
1. Auflage im Aufbau-Verlag 1975
7. Auflage 1986

Christa und Gerhard Wolf
Till Eulenspiegel
Erzählung für den Film
Mit einer Nachbemerkung
von Wolfgang Heise
Edition Neue Texte
1972
4. Auflage 1986

Lesen und Schreiben
Aufsätze und Betrachtungen
Mit einer Nachbemerkung von Hans Stubbe
Edition Neue Texte
1972
2., erweiterte Auflage 1973

Unter den Linden

Drei unwahrscheinliche Geschichten
(Unter den Linden; Neue Lebensansichten
eines Katers;
Selbstversuch)
Mit Illustrationen von Harald Metzkes
1974
5. Auflage 1983

Kindheitsmuster

1976
10. Auflage 1985

Kein Ort. Nirgends

1979
6. Auflage 1984

Kassandra

Vier Vorlesungen
Eine Erzählung
Mit 38 Fotos
1983
4. Auflage 1986

Erzählungen
(Blickwechsel; Dienstag, der 27. September;
Juninachmittag; Unter den Linden; Neue
Lebensansichten eines Katers; Selbstversuch)
bb-Taschenbuch 554
1985

Christa und Gerhard Wolf
Ins Ungebundene gehet eine Sehnsucht
Gesprächsraum Romantik
Prosa · Essays
1985
2. Auflage 1986

Die Dimension des Autors
Essays und Aufsätze
Reden und Gespräche
1959–1985
Band I
(Selbstauskünfte; Zeitgenossen I und II; Zeit-
geschehen)
Band II
(Essays und Reden I und II; Gespräche)
1986